ABC

de la jardinería

San Rafael, 4
28108 Alcobendas (MADRID)
Tel.: (91) 657 25 80 - Fax: 657 25 83
I.S.B.N.: 84-8238-225-X
Depósito Legal: M. 32.049-1997

Coordinación de obra y fotografía: Producción Gráfica, Grupo 7 Editorial S.L.
Autor: Francisco Javier Alonso de la Paz
Diseño: Carlos González-Amezúa
Dibujos: Antonio Perera Sarmiento

Impreso en España /*Printed in Spain*

ÁGATA es una marca registrada propiedad de Editorial LIBSA

Nuestro más sincero agradecimiento para Ana Andrés, Mercedes Díaz, Cristina Fernández, Pepa Martínez, Victorino Mourín, Olga Padierna y María Jesús Sáez de Eguilaz, por permitirnos realizar fotografías de sus atractivos jardines.
Agradecemos a los viveros Bourguignon, Casla y Jardín de Sala, junto a todo el personal de estas empresas, su desinteresada colaboración por habernos dejado hacer fotografías de sus plantas y recipientes.
Expresamos nuestra gratitud a la empresa Agrojardín, por cedernos herramientas y utensilios, así como a John Deere España y Antonio Tajada S.A. por facilitarnos maquinaría de jardín para la obtención de fotografías.
Hacemos constar nuestro encarecido reconocimiento a Becerril de la Sierra, Soto del Real y Moralzarzal, cautivadores pueblos de la Sierra de Madrid, por permitirnos convertir en bellas imágenes, las plantas repletas de color que adornan sus casas y sus calles.

Gracias a todos los que han hecho posible este libro.

Madrid, agosto de 1997.

Indice

EL JARDÍN FÁCIL

Preguntas y Respuestas

Introducción

¿QUIÉN NO HA APROVECHADO ALGUNA VEZ LA VISITA A UN VIVERO PARA FORMULAR TODA UNA BATERÍA DE INTERROGANTES, RESPECTO a los cuidados y mantenimiento de las plantas? ¿Y cuántos errores podrían no haber llegado a producirse con unos mínimos consejos profesionales?

En esta nueva obra, hemos pretendido agrupar las preguntas más solicitadas en torno al cultivo de plantas de jardín, dando a cada una de ellas una respuesta sencilla y eficaz, para que cualquier amante de las plantas pueda ponerla en práctica inmediatamente.

En la actualidad, la gran variedad de especies introducidas en jardinería, conlleva una similar reciprocidad en cuanto a los métodos de cultivo empleados. Cada planta demanda, por sus propias características, diferentes necesidades de agua, radiación solar, nutrientes, crecimiento, e incluso multiplicación, que el jardinero debe, en cada caso, conocer y saber cubrir adecuadamente.

En la intención de acceder a la mayor parte de los temas, referentes al cultivo de plantas empleadas en jardinería, proponemos unos apartados generales donde se tratan las principales técnicas, resaltando las especies que presentan un cuidado especial, siempre bajo un planteamiento práctico, manteniendo una perspectiva cuya finalidad es la de conseguir un efecto decorativo y ornamental.

De igual forma, se han introducido aquellos elementos o materiales que, no perteneciendo a la jardinería propiamente dicha, como pueden ser la madera, la piedra o el metal, son de utilidad para aumentar la belleza y originalidad del jardín, propiciando de igual modo, la imaginación y creatividad del jardinero.

Entre los distintos apartados, hallará El Jardín Acuático, especialmente indicado para quienes deseen añadir un matíz diferenciador, realizando un relajante estanque con plantas, sin necesidad de recurrir a costosas fórmulas o complicadas obras de ingeniería.

Confiamos en que la obra que ahora les ofrecemos, pueda servirles de ayuda en la práctica cotidiana de la jardinería.

Bulbos, cormos y tubérculos

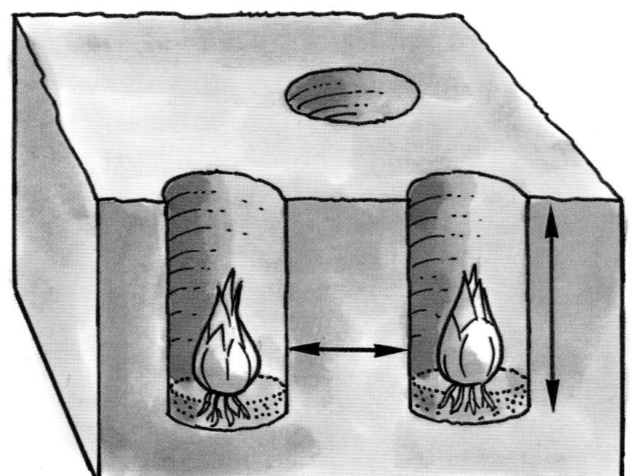

La distancia entre bulbos, al igual que la profundidad a que deben ser plantados, es de vital importancia para el correcto desarrollo.

UN AMIGO ME HA REGALADO UNOS BULBOS PARA MI JARDÍN. ¿A QUÉ PROFUNDIDAD DEBO PLANTARLOS PARA QUE CREZCAN CON NORMALIDAD?

Tomando como referencia el tamaño de un cormo (pequeño bulbo cubierto de escamas) de un gladiolo, el agujero donde vaya a ser plantado deberá tener una profundidad entre los 10 y 15 cm, ya que resulta la medida más conveniente para que el bulbo se desarrolle con total normalidad, sin provocar retrasos ni alteraciones en la aparición del tallo y las flores. Aunque este dato sirve bien de referencia, no hay que olvidar que todos los bulbos no tienen el mismo tamaño, y que las especies no aceptan las mismas condiciones por igual, independientemente de tener en cuenta el período de tiempo que lleva el bulbo almacenado, así como las condiciones de almacenaje. Para los bulbos muy secos y los que han permanecido guardados fuera de la tierra, la profundidad debe ser algo menor. También existen excepciones, como los bulbos de los jacintos que, en cualquier caso, han de ser enterrados a ras de superficie para que brote el tallo de forma adecuada.

La azucena es una bulbosa caracterizada por sus hermosas flores, formadas por seis grandes pétalos de muy variado colorido.

El plantador de bulbos es un utensilio de muy fácil manejo y peculiar forma.

¿EXISTE ALGÚN UTENSILIO ESPECÍFICO PARA PLANTAR BULBOS SOBRE EL CÉSPED?

El utensilio más apropiado para este cometido es, sin duda, el plantador. Facilita la realización de hoyos en el suelo cubierto de césped, o sobre cualquier otro terreno sin cultivar. En un breve período de tiempo y sin esfuerzo, se consiguen la profundidad y grosor deseados. Dependiendo de la dureza del suelo, es posible acoplar un mango de madera para hacer más fuerza.

Al propio tiempo, su uso permite alinear correctamente los bulbos, manteniendo una profundidad constante, e incluso realizar trazados en forma de letras o dibujos originales.

Los cepellones de césped arrancados puede volver a colocarlos en el mismo lugar, o emplearlos para cubrir los desperfectos que existan en cualquier otra zona de la pradera.

QUIERO CREAR UNA JARDINERA CON VARIOS TIPOS DE BULBOS. ¿QUÉ DISTANCIA DEBO DEJAR ENTRE UNO Y OTRO AL PLANTARLOS?

La respuesta depende, principalmente, del tamaño del bulbo así como de la abundancia de flores que desee tener en la jardinera. Como término medio, debe dejarse un espacio el doble del tamaño que ocupa el bulbo, pero esta distancia puede reducirse a la mitad, si desea tener un recipiente completamente lleno de flores.

El principal motivo por el que no conviene que estén muy cerca unos de otros, es porque el bulbo necesita un mínimo de espacio para mantener su estructura uniforme y no adquirir un aspecto irregular. Ha de contar con que cada año que pasa, el bulbo aumenta de tamaño y, si no dispone del suficiente espacio, la calidad en la floración no será la misma.

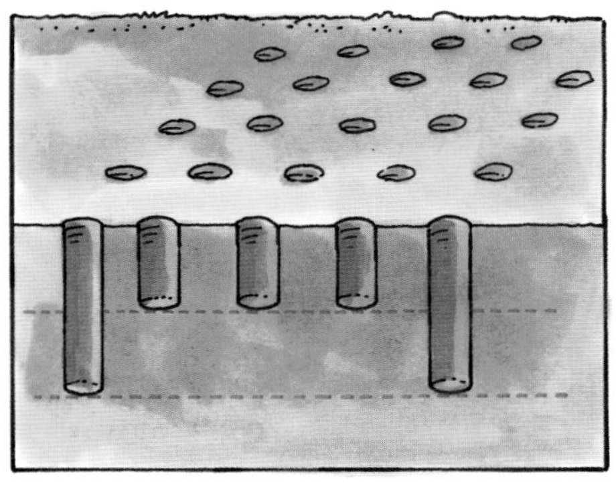

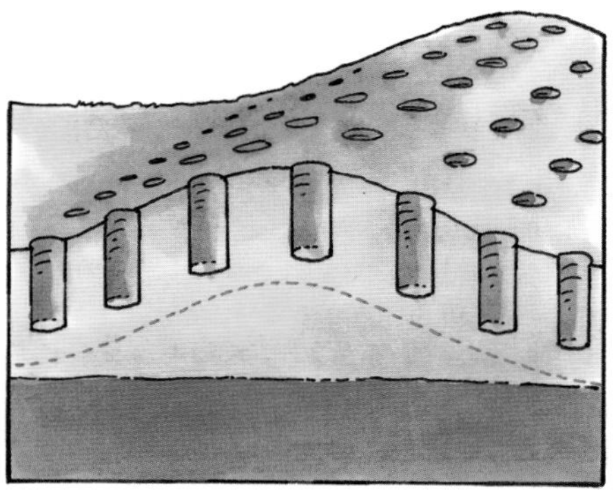

Existen varias formas de obtener un tupido macizo de flores a partir de plantas bulbosas. Como puede observar, en el primer caso, bastará con dar distinta profundidad a los bulbos del interior con respecto a los periféricos. En el segundo, la solución pasa por elevar el nivel del suelo.

ME GUSTARÍA TENER UN MACIZO REPLETO DE FLORES. ¿CÓMO PUEDO CONSEGUIRLO?

Como habrá podido comprobar, en las jardineras convencionales no es posible conseguir un tupido conjunto de flores. Ahora bien, si tiene espacio o decide plantar bulbos en el jardín, existe un sistema para sacar mayor partido a este tipo de plantas.

La disposición de los bulbos en zigzag y la colocación de una fila periférica a mayor profundidad que el resto, amplificará sin duda el colorido del macizo. Ha de tener cuidado en mantener las distancias entre bulbos, procurando enterrar más profundos aquellos de mayor tamaño.

Otra manera de dar vistosidad al cultivo de bulbosas, consiste en plantarlas sobre un montículo preparado artificialmente con compost; de este modo, la zona central queda más alta que los laterales y no es necesario plantar a diferentes alturas, consiguiendo realzar el perfil de las flores.

UNA VEZ QUE LA FLOR SE HA MARCHITADO, ¿QUÉ DEBO HACER PARA CONSERVAR LOS BULBOS Y ASÍ PODER UTILIZARLOS AL AÑO SIGUIENTE?

Tras el marchitamiento de las flores, los tallos comienzan a secarse y el bulbo almacena productos de reserva, a fin de soportar el invierno y tener alimento disponible para la llegada de la primavera.

Es importante que deje que se sequen por completo, suprimiendo el riego en su totalidad. Una vez conseguido el secado, desentierre los bulbos limpiando la tierra que los cubre. Retire las hojas ya inservibles y corte la parte del tallo seca y las raíces de la parte inferior.

Almacénelos en una caja de cartón o madera en un lugar seco y fresco, no apilando más de dos bulbos en la misma caja. Manténgalos siempre envueltos en papel de periódico o en la misma tierra donde crecieron, no olvidando etiquetar todo lo almacenado para facilitar su posterior selección.

¿CÓMO PUEDO PLANTAR LOS BULBOS Y QUÉ CUIDADOS DEBO DISPENSARLES?

Una vez seleccionado el lugar donde quiere que crezcan y se desarrollen los bulbos, tendrá que realizar un agujero algo más amplio que la anchura del bulbo.

Disponga una fina capa de arena en el fondo con el fin de ofrecer a la futura planta un buen drenaje, ponga un poco de compost y, a continuación, coloque el bulbo en posición vertical, cubriéndolo con compost, sin apelmazarlo en exceso. Finalmente, riegue en abundancia, manteniendo la tierra húmeda hasta que aflore el tallo.

La floración de la dalia viene precedida de un lento crecimiento de la planta, después del cual aparecen ininterrumpidamente sus vistosas flores.

Las plantas bulbosas más conocidas

Nombre latino	Nombre	Biotipo	Plantación	Ambiente
Crocus sp.	Azafrán ornamental	Cormo	Otoño, invierno, primavera	Suelo fértil, fresco, sol.
Chrysanthemum sp.	Crisantemo	Tubérculo	Primavera	Suelo fértil, drenado, sol.
Dahlia sp.	Dalia	Tubérculo	Primavera	Suelo rico, aireado, sol.
Gladiolus sp.	Gladiolo	Cormo	Primavera	Suelo rico, aireado, sol.
Hyacinthus sp.	Jacinto	Bulbo	Principio primavera	Suelo rico, húmedo o encharcado, sol.
Iris sp.	Lirio	Bulbo	Invierno, primavera	Suelo fértil, húmedo o encharcado, sol.
Lilium sp.	Azucena	Bulbo	Primavera	Suelo rico, bien drenado, sol.
Muscari sp.	Nazareno	Bulbo	Principio primavera	Suelo rico, arenoso, sol.
Narcissus sp.	Narciso	Bulbo	Invierno, principio primavera	Suelo rico, bien drenado, sol.
Tulipa sp.	Tulipán	Bulbo	Invierno	Suelo rico, buen drenaje, sol.

Plantas de temporada

Un arriate compuesto por un grupo de plantas de temporada, petunias, tagetes y salvias, da como resultado una mezcla multicolor.

¿POR QUÉ LAS PETUNIAS, UNA VEZ QUE HAN DEJADO DE DAR FLOR, COMIENZAN A ESTROPEARSE?

Las petunias, los claveles, las margaritas, los pensamientos, las celosías, etc., son plantas herbáceas que se definen como anuales o de temporada; esto es, aquellas que nacen, crecen y mueren en un período de tiempo que no supera el año.

Todas ellas nacen a partir de semillas y necesitan sembrarse en semilleros, donde pasarán los primeros días de vida antes de ser llevadas a su lugar de destino. Ofrecen gran cantidad de flores de muy variados colores y formas, resultando indispensables para alegrar los jardines durante la época de primavera y verano. Cuando llega el otoño y las semillas están maduras, la función de las flores y la planta ha terminado, lo que se produce no por que estén mal cuidadas, sino porque ha finalizado su ciclo de vida.

El empleo de plantas cuya floración está caracterizada por la presencia de pequeñas flores pero en gran número, es una de las soluciones más empleadas en jardinería.

QUIERO PLANTAR CLAVELES Y MARGARITAS EN UN ARRIATE. ¿CUÁNDO DEBO CULTIVARLOS?

La mayoría de las plantas anuales deben sembrarse a mediados de primavera, en semilleros para facilitar su desarrollo, con unas condiciones de buena temperatura y humedad. Como término medio, coloque dos o tres semillas en cada apartado, a una profundidad no mayor de 1 cm, aunque también puede optar por comprar pequeñas plantas de cada especie ya desarrolladas, que podrá trasplantar sin problemas.

Para garantizar su crecimiento, ha de tener en cuenta que la temperatura del suelo y, sobre todo, del ambiente no sea inferior a los 5ºC. Este tipo de plantas son sensibles a las baja temperaturas y, en las regiones de inviernos fríos o donde el granizo es un denominador común, es en las que mayor riesgo corre su cultivo.

Las plantas de temporada se llevan al jardín a partir de los plantones que crecen en semilleros, como sucede con este tagete.

ME HAN REGALADO UNOS PENSAMIENTOS EN SEMILLERO. ¿QUÉ MOMENTO ES EL MÁS INDICADO PARA REALIZAR EL TRASPLANTE?

Como primera medida, procure evitar el riesgo de heladas, por lo que el momento más apropiado dependerá del clima de su lugar de residencia. Sobre un suelo bien abonado y húmedo, realice unos agujeros del tamaño y profundidad de los apartados del semillero. A continuación, sujete la planta con la palma de la mano y extraiga el cepellón de raíces completo, depositándolo en su lugar definitivo. Oprima ligeramente la superficie que rodea la planta y, por último, riegue moderadamente.

Para evitar que las plantas pierdan tersura, no debe realizar esta operación en las horas más calurosas del día.

Especies de temporada características

Nombre latino	Nombre	Tipo	Color de la flor
Althaea rosea	Malva real	Vivaz	Encarnada, rosa, blanca.
Campanula medium	Campanillas	Anual	Diversos tonos azules.
Celosia plumosa	Celosía	Anual	Roja y amarilla.
Lobelia erinus	Lobelia	Anual	Azul, blanca, rosa.
Lupinus sp.	Altramuz	Vivaz	Amarilla, rosa, azul.
Matthiola incana	Alhelí	Vivaz	Roja, rosa, violeta, amarilla.
Mirabilis jalapa	Don Diego de Noche	Vivaz	Roja, rosa, naranja, amarilla, blanca.
Salvia splendens	Salvia	Anual	Roja
Verbena sp.	Verbena	Anual	Violeta, rosa, roja, blanca.
Viola sp.	Pensamiento	Anual	Azul, amarilla, violeta, roja.

Con el fin de no estropear los tallos tiernos y delicados de los plantones, ha de sujetarlos cuidadosamente con los dedos y la palma de la mano

¿PUEDO RECOLECTAR LAS SEMILLAS DE UN ALHELÍ, Y PLANTARLAS EL AÑO SIGUIENTE?

Para recolectar las semillas, simplemente espere a que maduren por completo en la mata y, cuando haya comprobado que están totalmente secas y comienzan a desprenderse, sepárelas de la planta.

Manténgalas sobre una hoja de periódico hasta asegurarse de que no guardan nada de humedad. Posteriormente, recójalas en un sobre de papel, espolvoreando en su interior una pequeña dosis de fungicida, con el fin de evitar que durante el período de almacenaje proliferen los hongos. Cierre el sobre

Las plantas de temporada por excelencia, están representadas por dos especies de muy variados y vistosos colores, como son los pensamientos y las petunias.

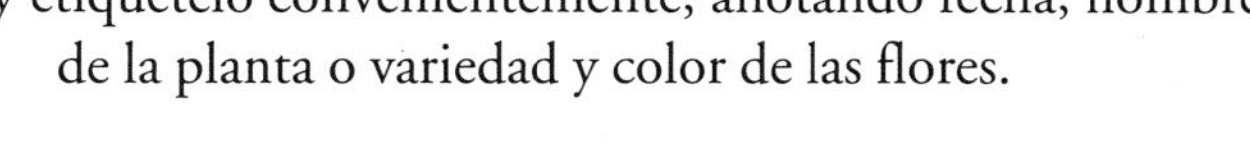

y etiquételo convenientemente, anotando fecha, nombre de la planta o variedad y color de las flores.

¿QUÉ CUIDADOS TENGO QUE PROCURAR A MIS PLANTAS DE TEMPORADA, PARA MANTENER EL MÁXIMO TIEMPO LA FLORACIÓN?

Considerando que son plantas empleadas básicamente para dar color al jardín, es necesario que produzcan un gran número de flores durante el mayor período de tiempo. Por tal motivo, el suelo debe estar muy bien abonado, aireado y suelto. Utilice compost para plantas de interior o mantillo mezclado con tierra, recordando que no debe faltarles agua en ningún momento. Para completar los requerimientos de cultivo, sitúelas en el lugar más soleado del jardín.

HE OÍDO HABLAR DE LAS PLANTAS ANUALES Y DE LAS VIVACES, ¿EXISTE ALGUNA DIFERENCIA ENTRE AMBAS?

Ambas plantas muestran todo su esplendor sólo en una determinada época del año; es decir, todas son plantas de temporada, pero la característica que las diferencia es la manera que tienen de pasar el período invernal.

Las anuales, al final del verano mueren y lo único que queda de ellas son las semillas producidas por las flores, que al año siguiente, podrán generar nuevas plantas. En estas especies los ejemplares sólo viven un año, siendo de ciclo anual.

Por otro lado existen las llamadas especies vivaces, que también aparecen con la llegada de la primavera, florecen y, al final del verano, se marchitan y mueren, produciendo semillas de las cuales nacen nuevos ejemplares. A diferencia de las anuales, al año siguiente, con la llegada del buen tiempo, en el mismo lugar donde vivieron, vuelven a aparecer otra vez y con mayor tamaño. Esto sucede porque el ciclo de estas plantas no es anual sino bianual (de dos años) o perenne (muchos años), y porque son capaces de pasar el invierno enterradas en el suelo en forma de bulbo, rizoma o tubérculo. Esta doble situación favorece y permite retrasar o adelantar la siembra o crecimiento de unas u otras especies para, de este modo, evitar que coincidan todas a la vez en la floración.

Plantas perennes

Gran cantidad de plantas crasas y cactáceas son capaces de sobrevivir al invierno gracias a sus carnosos tallos.

¿QUÉ TIPO DE PLANTAS RECONOCEMOS COMO PERENNES?

Al contrario de lo que sucede con las plantas de temporada, este grupo está caracterizado por ser capaz de superar el invierno sin necesidad de perder los tallos y así aumentar de tamaño indefinidamente. Con esta definición, como puede suponer, tendríamos dentro del grupo a todos los árboles, arbustos y plantas que tienen los tallos protegidos por una corteza. Para reducir tan amplio conjunto de especies, sólo se hace referencia al grupo de plantas perennes que no son de gran tamaño y de las que destaca, por encima de otras características, su floración (de este grupo también quedan excluidas las bulbosas, ya tratadas anteriormente).

ME GUSTAN MUCHO LOS GERANIOS, PERO EN LA REGIÓN DONDE VIVO EL INVIERNO ES MUY FRÍO. ¿PUEDEN SUPERAR LAS PLANTAS PERENNES ESTA DESVENTAJA?

Existen tres tipos distintos de plantas perennes en función de su fragilidad. Por una parte están las que pierden las hojas en el otoño y pasan el invierno protegiendo sus yemas con resinas y escamas, como por ejemplo la hortensia.

Existe otro grupo que, sin perder las hojas, pueden mantenerse vivas hasta la primavera siguiente, porque toda la planta está adaptada a la bajada de las temperaturas y a la reducción del agua disponible, como ocurre con las adelfas.

Por último, encontramos las que necesitan de un invernadero que las proteja del frío, debido a que sus tejidos no soportan el hielo, ya que son muy frágiles, como en el caso de los geranios, los pendientes de la reina o las alegrías.

CON EL PASO DEL TIEMPO, LAS ALEGRÍAS ADQUIEREN CADA VEZ MAYOR TAMAÑO. ¿DEBO TRASPLANTARLAS ANUALMENTE?

Si desde un primer momento han sido colocadas en una maceta de grandes dimensiones, no será necesario el trasplante. Bastará con fertilizar periódicamente, o bien sustituir la capa superficial de tierra por compost o mantillo nuevo. En caso contrario, cambie de maceta cuando el tamaño de la planta sea desproporcionado con respecto al del tiesto.

En algunos lugares, si la climatología lo permite, pueden plantarse directamente sobre el suelo y, con la adición de abono al comienzo de la primavera, se desarrollan sin ningún problema. En general, resulta indispensable conocer los requerimientos de la planta, así como la velocidad de crecimiento y su capacidad para soportar bajas temperaturas. Todos estos datos son esenciales para su plantación, porque así decidirá si puede vivir en el jardín o en una maceta, y desarrollarse a la intemperie o protegida durante el invierno.

El geranio es una de las plantas más comunes en el interior de los jardines, motivado por su agradable aroma y el intenso color de sus flores.

¿QUÉ CUIDADOS REQUIERE EL HIBISCO EN CUANTO A PODA?

Al igual que otras plantas perennes de flor, en climas cálidos y húmedos, la también denominada rosa de China, llega a alcanzar grandes tamaños y, si le plantea problemas de espacio, puede podar las ramas que más le convenga, manteniendo dos o tres tallos principales, para evitar que interfiera con el resto de plantas del jardín.

En la mayoría de los casos, esta operación no será necesaria, limitándose los cuidados a tareas de limpieza de ramas enfermas, hojas y flores secas, u obtención de tallos para su multiplicación a partir de esquejes.

VIVO EN UN CLIMA CÁLIDO, Y LA HORTENSIA, EN DÍAS DE CALOR LLEGA A MARCHITARSE, ¿QUÉ DEBO HACER?

Para la mayoría de las plantas, la falta de agua actúa como factor limitador de su desarrollo. Cuando el sol es intenso, la mayor parte de ellas (aunque hay algunas capaces de aguantar un menor grado de humedad), entre las que se encuentra la hortensia, al no tener los mecanismos adecuados de retención de agua en sus hojas, tienden a ponerse mustias y, si no se repone de manera constante el nivel de humedad necesario, pueden llegar a secarse irreversiblemente. Durante los meses de radiación solar intensa, especialmente en climas muy calurosos, recuerde el beneficio que puede producirles estar al resguardo de otras plantas que les hagan sombra.

La flor de los pendientes de la reina, debido a que crece de forma péndula y siempre hacia el suelo, hace que su cultivo en tiestos colgantes sea el más indicado.

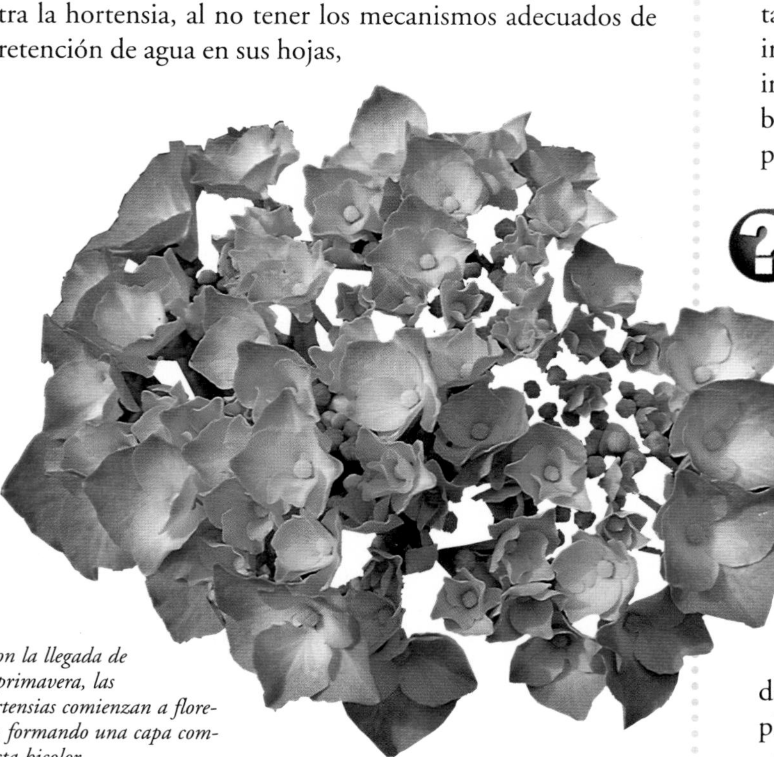

Con la llegada de la primavera, las hortensias comienzan a florecer, formando una capa compacta bicolor.

EN LAS CERCANÍAS DE LAS PLANTAS CRECEN MALAS HIERBAS A LAS QUE NO PUEDO LLEGAR FÁCILMENTE. ¿PUEDO ELIMINARLAS CON ALGÚN HERBICIDA?

En ciertos casos en los que los tallos de las plantas perennes son muy frágiles, hay que tener cuidado al realizar las labores de limpieza del suelo. Es preferible que elimine una a una las malas hierbas, que se están aprovechando de las buenas condiciones del jardín, apartando suavemente los tallos de las plantas. Procure, en la medida de los posible, evitar el empleo de herbicidas, que contaminan la tierra. Por otra parte, su toxicidad, los efectos secundarios que pueden provocar sobre las plantas cultivadas, y su lento proceso de degradación, no ofrecen garantías de seguridad.

Especies perennes más comunes

Nombre latino	Nombre	Resistencia	Follaje	Color de la flor
Datura suaveolens	Datura, Flor trompeta	Muy frágil	Siempreverde	Blanca.
Hibiscus rosa-sinensis	Hibisco, Rosa de China	Frágil	Siempreverde	Roja.
Hydrangea macrophilla	Hortensia	Frágil	Hoja caduca	Azul, rosa, blanca, violeta.
Nerium oleander	Adelfa	Resistente	Siempreverde	Blanca, rosa, roja.
Pelargonium sp.	Geranio	Muy frágil	Siempreverde	Blanca, rosa, roja.
Syringa vulgaris	Lilo	Resistente	Hoja caduca	Violeta, blanca.
Viburnum sp.	Viburno, Durillo, Bola de nieve	Frágil o resistente	Hoja caduca o siempreverde	Blanca.

Plantas autóctonas

¿Por qué se las llama autóctonas?

Con este nombre quedan agrupadas todas las especies de plantas que viven de forma independiente y asilvestrada en la región donde también son cultivadas. Ha sido la mano del hombre la que ha seleccionado, de entre las plantas que le rodeaban, aquellas que por belleza, vistosidad o aroma le resultaban más atractivas, incorporándolas al jardín para su propio disfrute.

Esta situación las dota de una serie de características idóneas para su cultivo sobre el resto de plantas. Entre las distintas variedades, destaca el aroma de la lavanda, la hierbabuena o la madreselva, las bellas flores de la adelfa, la peonia o el lirio azul, y el agradable aspecto del olivo, el álamo blanco o el laurel.

¿Hay algún tipo de ventaja en la elección de plantas autóctonas para mi jardín?

Existen una serie de ventajas que facilitan su cultivo, entre las que destacan la gran facilidad que tienen para acomodarse a las condiciones del jardín (puesto que se encuentran cómodas, como en su casa), al estar su ciclo de vida ajustado a la climatología del lugar, incrementada, por otro lado, con los cuidados extra que les proporciona el jardinero, lo que permite un crecimiento más rápido y vigoroso.

Otra importante virtud es que poseen una resistencia natural a las enfermedades y plagas que aparecen en los jardines, ya que no son tan sensibles a su ataque, o bien disponen algunas de mecanismos de defensa que las protegen eficazmente.

Entre los arbustos de origen silvestre empleados en jardinería, el más común es la adelfa.

De igual modo, estas especies producen frutos comestibles, como puede ser el naranjo, el nogal o el pino piñonero, mientras que otras son empleadas como condimentos culinarios, tales como el perejil, el tomillo o la albahaca, teniendo, en otras oportunidades, aplicaciones medicinales, como sucede con el romero, la manzanilla o la rosa silvestre.

¿Qué tipo de cuidados precisan un grupo de adelfas?

Las adelfas y, en general, las plantas autóctonas, ofrecen una gran facilidad de cultivo, permitiendo que el abonado del suelo se efectúe sólo una vez al año, antes de que comience el período de crecimiento. Es suficiente con añadir mantillo directamente sobre el suelo, puesto que no necesitan fertilizantes ni abonos especiales de floración.

En cuanto a la poda y limpieza, debido a su lento desarrollo, se limita a la eliminación de las ramas, hojas y flores secas. Así mismo, la necesidad de agua es mínima, ya que incluso son capaces de conformarse con las lluvias de temporada.

La rosa canina o escaramujo es un rosal cuyas flores están caracterizadas por su sencillez y fragilidad.

Una de las bulbosas silvestres que mejor se adaptan al jardín, es el lirio, aportando su intenso colorido.

Como puede ver, el mantenimiento de estas plantas está caracterizado por su sencillez.

¿CÓMO PUEDO CONSEGUIR PLANTAS AUTÓCTONAS PARA MI JARDÍN?

Hay dos formas de conseguirlas. Puede adquirirlas directamente en los invernaderos y viveros convencionales o en establecimientos dedicados exclusivamente al cultivo de especies autóctonas, donde podrá encontrar el ejemplar que esté buscando, o elegirlo dependiendo del aroma, utilidad o aspecto que tenga.

De igual modo, puede obtener directamente sus ejemplares recolectándolos en el campo, para lo que necesitará saber previamente donde se encuentra cada especie, y realizar el trasplante antes de la llegada de la primavera, o bien recolectar las semillas para posteriormente cultivarlas en semilleros.

Es perfectamente compatible el cultivo de plantas autóctonas con plantas exóticas, como ocurre con la yuca y esta adelfa.

¿CUÁL ES LA MEJOR FORMA PARA DESPLANTAR Y TRANSPORTAR UNAS PLANTAS DE TOMILLO HASTA MI CASA?

En primer lugar, ha de tener presente que no todas las plantas que encuentre en el campo pueden ser llevadas a su jardín, ya que en determinadas zonas existen plantas en peligro de extinción.

Esto no ocurre con plantas como el tomillo, el romero, la peonia o la adelfa, que sí puede conseguirlas en el campo. Para no dañar la planta, debe llevar los utensilios apropiados, como puede ser una regadera, un azadón, un desplantador y algunas bolsas de plástico o tela. Es imprescindible conocer qué tipo de raíz tiene la planta para intentar arrancarla completa, por lo que, si el suelo no estuviera lo bastante húmedo, tendrá que regarlo para no romper la estructura subterránea. Haga un hoyo lo suficientemente amplio para que las raíces no entren en contacto con el aire, e introduzca el cepellón en una bolsa, con objeto de que no se desprenda la tierra. Llévela lo más rápidamente posible a su lugar de destino y plántela.

Existen especies de durillo aptas para jardinería, como es el caso de la bola de nieve. En primavera se cubre de un intenso tono blanco.

Plantas exóticas

¿CUÁLES SON LAS PLANTAS EXÓTICAS Y QUÉ CARACTERÍSTICAS TIENEN?

Existen gran cantidad de especies que, oriundas de regiones tropicales cálidas, han sido introducidas en países de climatología entre templada y fría. Dentro de este grupo, encontramos ejemplos tan conocidos como el magnolio, la buganvilla, el ficus o los cactus, que son plantas acostumbradas a vivir sin cambios bruscos de temperatura y en ambientes siempre calurosos.

Por este motivo, no resultan muy adecuadas para vivir en zonas de frío invierno, es más, en la mayoría de los casos, no son capaces de soportar temperaturas inferiores a los 0ºC, por lo que casi exclusivamente están asociadas a jardines situados bajo la influencia del mar, o al menos en lugares de suave invierno.

Aquí figuran dos ejemplos antagónicos; una pequeña columnea, apta para el cultivo en maceta, y un gran ficus que sólo puede ser plantado en jardín.

La camelia es un arbusto de mediano tamaño, que nos deleita en primavera con unas llamativas y aromáticas flores.

Otras, por el contrario, provienen de zonas más templadas como, por ejemplo, la aucuba o el ginkgo, y su adaptación es más rápida.

¿DÓNDE PUEDO PLANTAR UNA CAMELIA? ME HAN DICHO QUE SON SENSIBLES A LAS INCLEMENCIAS DEL TIEMPO.

Con el fin de reducir la perjudicial acción del frío, en los lugares donde es excesivo, debe tomar una serie de precauciones si quiere disfrutar de plantas tropicales en su jardín, tal como la camelia.

Elija siempre un lugar orientado al sur, ya que allí es donde mayor número de horas calienta el sol y, si es posible, aproveche cualquier pared externa para protegerlas de los vientos del norte, porque suelen ser los más fríos. No obstante, en el caso de plantas de tipo arbustivo o herbáceo, procure proporcionarles protección bajo las ramas de un árbol de mayor tamaño, con objeto de que las heladas nocturnas queden amortiguadas.

QUIERO PLANTAR UN FICUS SOBRE UNA TINAJA EN EL PORCHE DE CASA. ¿QUÉ PRECAUCIONES HE DE TOMAR PARA HACERLO?

El ficus, como especie tropical, mantiene un ritmo de vida

regular a lo largo de todo el año. Generalmente se desarrolla en un confortable invernadero antes de ser adquirido, por lo que es necesario asegurarse de que, una vez trasladado a su lugar de destino, no va a correr el riesgo de una variación brusca de temperatura, situación que le perjudicaría seriamente, llegando incluso a provocar su pérdida.

También hay que tener en cuenta que en latitudes con clima fluctuante, las plantas tropicales deben ser plantadas antes de que la primavera esté en todo su apogeo, ya que algunas consiguen ajustar su ritmo de vida al de la zona, llegando a adquirir cierto estado de letargo durante el frío invierno. Evite trasplantar una vez que la planta rebrota con la llegada de la primavera, cuando la savia circula de nuevo por los tallos y raíces.

No todas las plantas exóticas proceden de los trópicos, como es el caso de esta aralia del Japón, cuyo principal atractivo radica en sus hojas.

¿QUÉ DEBO HACER PARA RECOLECTAR Y MANTENER FRESCAS LAS FLORES CORTADAS?

A fin de que las flores cortadas puedan aguantar mucho tiempo frescas en un jarrón, el momento más oportuno para cortar el tallo floral es cuando el capullo está ya formado, pero aún no ha llegado a abrirse.

Las condiciones de mantenimiento son muy sencillas; han de permanecer en agua fría, renovándola diariamente, siempre fuera del alcance de los rayos solares, en un lugar fresco y, a ser posible, algo húmedo. Hay quien añade media pastilla de ácido acetilsalicílico al agua del jarrón, porque con esta medida parece que las flores aguantan más tiempo frescas. Otra manera de conseguir que duren más, es añadiendo al agua una pequeña cantidad de fertilizante líquido para favorecer la floración, manteniendo el tallo floral dentro de un recipiente que se ajuste a su tamaño, herméticamente cerrado.

¿QUÉ CUIDADOS ESPECIALES DEBO PROPORCIONAR A LAS PLANTAS EXÓTICAS?

Dentro del grupo de las plantas exóticas hay gran variación. Existen unas de zonas húmedas, como son aquellas de hoja lustrosa y perenne, tales como los ficus, magnolios, camelias, alocasias, y otras de zonas secas, como ocurre con las cactáceas.

En el primer grupo, el riego ha de ser abundante al igual que el abonado, aconsejándole que rocíe con agua las ramas y hojas en época de intenso calor y pocas lluvias. Para el segundo, el agua no suele ser un factor importante en su vida, ya que son capaces de soportar períodos prolongados de sequía.

En ambos casos, no es necesario podar debido al lento crecimiento con el que se desarrollan; sólo será preciso hacerlo si llegan a ocupar el lugar destinado al cultivo de otras especies.

Las flores con las formas más extrañas y llamativas, proceden de las regiones tropicales.

Palmeras

Una de las palmeras más empleadas en jardinería es la palmera datilera, confiriendo distinción a su entorno.

ACABO DE PLANTAR UN PEQUEÑO EJEMPLAR DE PALMERA DATILERA Y SUS LARGAS HOJAS OCUPAN GRAN ESPACIO, ¿HAY ALGUNA FORMA DE EVITAR QUE EL FOLLAJE SE ADUEÑE DE LAS ZONAS DE PASO?

Debido a la rigidez de las hojas de la palmera, el cordel que las sustente debe ser lo suficientemente resistente para permitir su sujeción.

Cuando las palmeras tienen un pequeño tronco, las largas y pinchosas hojas normalmente entorpecen el paso, o pueden llegar a producir algún arañazo si no se tiene cuidado. Para evitar estas incomodidades, conviene que reúna y ate todo el penacho de hojas con un cordel resistente, dirigiéndolas hacia arriba en posición vertical, hasta que la longitud del tronco tenga un tamaño lo suficientemente alto como para poder pasar por debajo de ellas.

Mediante este sistema, en zonas donde en invierno el hielo es un peligro constante, la yema de crecimiento de la palmera (que se encuentra en el centro del penacho, justo donde acaba el tronco y nacen las hojas), queda convenientemente protegida. Con esta práctica se ven favorecidos los ejemplares de pequeño tamaño, al ser los más vulnerables.

¿CÓMO DEBEN SER CORTADAS LAS HOJAS SECAS DE LAS PALMERAS?

Cuando las hojas más viejas, es decir las exteriores y más largas, comienzan a secarse y caer hacia el tronco, deben ser cortadas con el fin de mantener la bella figura de la palmera e impedir la acumulación de partes muertas sobre su tronco. En algunas ocasiones, puede suponer la vía de acceso a gran número de enfermedades producidas por hongos, especialmente en climas con un alto índice de humedad.

Necesitará ayudarse de una pequeña sierra con la que cortar los gruesos y leñosos peciolos que las unen al tronco. Para conseguir que éste mantenga su cilíndrica y regular forma, tendrá que realizar una línea recta con arreglo a los cortes de las hojas de años anteriores, procurando que no sobresalga ni quede más profundo que el resto de las cicatrices.

La llamativa forma de las hojas de la palmera y su elegante silueta, evocan paradisíacos lugares.

¿QUÉ TIPO DE SUELO NECESITAN LAS PALMERAS?

Las palmeras, no soportan los suelos que no drenan bien el agua o llegan a encharcarse durante largos períodos de tiempo. En este caso, la parte de la planta más perjudicada es la base del tronco, que resulta muy vulnerable al ataque por hongos y se pudre con gran rapidez.

Para evitarlo, coloque una capa de arena en el fondo del suelo donde vaya a cultivar su ejemplar. Puede optar también por elevar el nivel del espacio donde descansa el tronco, con el fin de favorecer la evaporación del agua acumulada.

Dado que las raíces de las palmeras son superficiales y poco resistentes a las bajas temperaturas, una buena medida a adoptar para que el suelo y las raíces no se hielen en invierno, es la de cubrir toda la base alrededor del tronco con cortezas de pino y una fina capa de grava.

Por lo demás, como cualquier vegetal, cuanto más alimento y mejor abono tenga, más rápida y vigorosamente crecerá.

Aunque las palmeras tienen una floración poco vistosa, la delicada belleza de sus formas, suple holgadamente este aspecto.

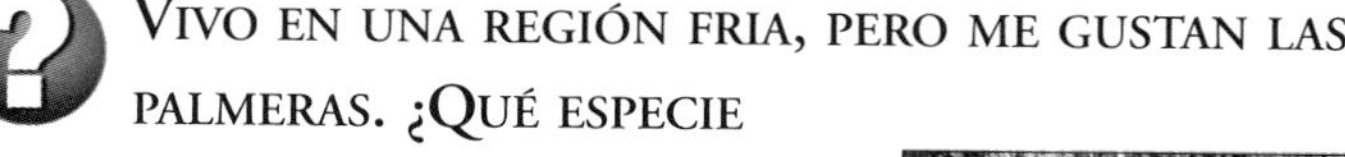

VIVO EN UNA REGIÓN FRIA, PERO ME GUSTAN LAS PALMERAS. ¿QUÉ ESPECIE PUEDO PONER EN EL EXTERIOR?

La mayoría de las especies de palmeras cultivadas necesitan de una temperatura media, si no cálida, al menos suave, y en regiones de inviernos fríos, quedan prácticamente relegadas al interior de las viviendas. No obstante, existen algunas variedades que se adaptan a exteriores no muy calurosos, como en el caso de la palmera excelsa y la palmera datilera. Si les procura protección contra las heladas, situándolas próximas a un muro, la pared de la vivienda o bajo la protección de la copa de un gran árbol, siempre orientadas al sur y en una zona muy soleada, podrá disfrutar de la hermosa silueta que ofrecen estas plantas, aunque viva en regiones de climatología adversa. Una especie que soporta cierta disminución de las temperaturas es el palmito porque, debido a su porte arbustivo, las hojas están reunidas en densos grupos que protegen las yemas de crecimiento y el suelo donde está asentado.

Las palmeras pueden cultivarse en solitario o en grupo, como ocurre con este conjunto de palmeras excelsa.

¿ES POSIBLE REPRODUCIR UNA PALMERA A PARTIR DE LAS QUE YA TENGO?

Podrá reproducirla sin problema, porque algunas palmeras pueden nacer a partir de las semillas maduras que producen, como por ejemplo los dátiles. Es importante tener en cuenta que algunas semillas necesitan temperaturas superiores a los 20ºC y unas buenas condiciones de humedad para germinar, por lo que tendrá que intentarlo en un invernadero con estufa, o aprovechando la época de pleno verano. Otras especies son capaces de emitir pequeños vástagos al pie del tronco; cortándolos al final del invierno y plantándolos impregnados en hormonas de enraizamiento, podrá conseguir un ejemplar, sin esperar a que se desarrolle lentamente a través de semillas.

Palmeras más comunes en jardines

Nombre latino	Nombre	Porte	Resistencia al frío
Chamaerops humilis	Palmito	Arbustivo, hojas palmeadas y rígidas, tronco no visible	Resistente con reservas.
Phoenix canariensis	Palmera de Canarias	Grandes dimensiones, hojas largas y rígidas	Frágil.
Phoenix datilifera	Palmera Datilera	Grandes dimensiones, hojas largas y rígidas, penacho esbelto	Resistente a heladas.
Trachycarpus fortunei	Palmera Excelsa	Tamaño medio, y penacho de hojas amplio, cubiertas de pinchos	Resistente a heladas.
Washingtonia filifera	Palmera Americana, Washingtonia	Gran longitud, pequeño penacho con hojas secas persistentes	Frágil.

Coníferas

¿EN QUÉ LUGAR PUEDO SITUAR UNA CONÍFERA?

El grupo de las coníferas abarca gran variedad de especies de muy distinta procedencia y aspecto, entre las que destacan los pinos y los abetos, destinados al cultivo en solitario, al igual que los cedros y cipreses, todos especialmente indicados para cualquier tipo de clima y situación.

Por otro lado, existen las especies empleadas para la creación de setos, como las arizónicas, las sabinas y los enebros enanos, que producen una masa vegetal muy abundante de hoja perenne. Por último, resaltan otros árboles no tan comunes, pero con un mayor atractivo visual aunque, debido a la gran talla que llegan a alcanzar, están prácticamente destinados sólo a jardines de amplias dimensiones, como ocurre por ejemplo, con las araucarias y las sequoyas.

¿CUÁLES SON LAS CARACTERISTICAS PROPIAS DE LAS CONÍFERAS?

Las coníferas no tienen flores vistosas, y sus hojas son distintas al resto de las plantas de jardín. Casi todas son perennes (exceptuando los alerces de hoja caduca) y presentan, en unos casos, las llamadas acículas (hojas puntiagudas y alargadas en forma de aguja), como sucede en los pinos, cedros, enebros, abetos y alerces, mostrándose en otros en forma de escamas que cubren por completo la corteza de las ramas, como las arizónicas, sequoyas, sabinas y cipreses. La reproducción, en la mayoría de los casos, la realizan a través de las conocidas piñas (dentro de las cuales se encuentran las semillas), que caen al suelo en primavera, una vez han madurado. El ejemplo más conocido es el de los piñones.

El cedro es una de las especies de conífera cuyas hojas tienen forma de acícula, con un verde de distintas tonalidades.

ES EL TERCER AÑO QUE PONGO UN ABETO EN MACETA EN LA TERRAZA PARA ADORNAR POR NAVIDAD Y, SIEMPRE QUE LLEGA EL BUEN TIEMPO Y BROTAN LAS YEMAS, EMPIEZA A CAMBIAR DE COLOR Y ACABO PERDIÉNDOLO. ¿QUÉ PUEDO HACER?

Las variedades de conífera de tonos pálidos o blancos, se consiguen tras varios procesos de hibridación.

Debido a la gran cantidad de nutrientes que requieren algunas de las especies y al gran desarrollo de sus raíces, son plantas para cultivar en el suelo y no en maceta. Es común observar como los abetos comprados para emplearlos como árbol de Navidad, comienzan a secarse cuando llega la primavera. Las agujas u hojas adquieren un tono marrón característico y empiezan a caer. Esto es originado bien por el agotamiento de los nutrientes, o por la falta de espacio que tienen las raíces para crecer o, tal vez, por ambas causas a la vez. Para poder mantenerlos con vida, ha de ponerlos en una maceta grande, donde dispongan del suficiente espacio y profundidad, y trasplantarlos al suelo tan pronto sea posible.

¿QUÉ LUGAR PUEDE SER EL MÁS APROPIADO PARA UBICAR UN CEDRO EN UN JARDÍN?

El cedro es un árbol con un formidable y bello aspecto y, aunque su crecimiento es muy lento, puede llegar a alcanzar gran envergadura. Posee hojas perennes muy pequeñas, de tipo acícula, en forma de aguja, y resinosas. Con estas características, es fácil imaginar que el lugar para plantar un cedro necesaria-

Los dos grandes grupos de coníferas, están diferenciados por el tipo de hojas que poseen. Unas en forma de escama y otras en forma de aguja.

El agradable olor que desprenden en época de lluvias las arizónicas, aporta un atractivo adicional a este arbusto.

mente ha de ser espacioso, nunca a menos de 2 m de distancia de una pared o construcción, ya que el tronco llega a ser muy grueso y las raíces afloran con el tiempo, pudiendo levantar pavimentos u otros elementos fijos del jardín. Por otra parte, debido a que continuamente las hojas están siendo renovadas y caen al suelo, todo aquello que esté debajo de la copa queda impregnado de resina, por lo cual, los arbustos y flores plantados a sus pies sufren la consecuencia, e incluso la pradera llega a presentar serios problemas para desarrollarse con total normalidad.

En resumen, éste es un árbol para disfrutar de su belleza y no para realizar actividades de ocio bajo su copa.

Como elemento más característico del pino piñonero, figuran sus grandes piñas.

LA CORTEZA DEL PINO QUE TENGO EN LA PRADERA DE LA PISCINA ESTÁ REPLETA DE RESINA, ¿QUÉ PUEDO HACER PARA EVITAR QUE SE MANCHEN LOS NIÑOS?

La resina, sustancia muy pegajosa, es la savia de gran parte de las especies de coníferas, como por ejemplo el pino, el abeto o el ciprés. Esta viscosa y olorosa sustancia la utilizan para protegerse del frío, ya que es muy resistente a la congelación, actuando además como cicatrizante de heridas cuando la corteza ha sido dañada. Normalmente, emerge al exterior cuando una rama se parte por la acción del viento, o es cortada en tareas de poda, al perderse parte de la corteza que cubría al tronco. Para reducir su presencia, conviene que tenga cuidado de no rasgar la corteza cuando pode una rama. En cualquier caso, puede emplear sustancias de origen sintético que venden en los viveros para cubrir las heridas de poda y, de este modo, cortar su flujo. Evite dañar el tronco con golpes o inscripciones producidas con objetos cortantes.

¿QUÉ PROBLEMAS CONLLEVA LA PROCESIONARIA DEL PINO?

El peligro principal que implica la presencia de la procesionaria, es el daño que puede causar al árbol, al que hay que añadir la posibilidad de que alcance otros ejemplares cercanos. El problema más importante se produce cuando el nido ha sido instalado en la rama guía o principal del pino ya que, si no es capaz de destruirlo, bien manualmente o cortando la rama, en poco tiempo el árbol perecerá. Por otra parte, si elimina esta rama principal, la copa del pino se verá truncada y el árbol, si no muere, perderá su aspecto original.

Si decide destruir manualmente el nido, ha de tener mucho cuidado, protegiéndose las manos con guantes y los brazos con una prenda de manga larga lo suficientemente resistente. Realice la operación desde una escalera preferentemente, a fin de evitar que pueda caer alguna oruga sobre su cuerpo. Cuando haya terminado, queme los restos y limpie con agua y jabón la zona dañada.

Existe otro problema añadido, y no porque afecte al árbol, sino a su propia familia, motivado porque, al comienzo de primavera, estas larvas se trasladan por el suelo en busca de alimento y de un nuevo hogar, provocando en personas y mascotas importantes reacciones alérgicas, causadas por el contacto directo con la piel. Esta situación puede producirse incluso cuando las orugas llevan ya varios días muertas.

Las coníferas más conocidas

Nombre latino	Nombre	Características
Abies alba	Abeto Blanco	Piñas erguidas, hojas libres, flexibles y con escote (truncadas y con una hendidura).
Abies pinsapo	Pinsapo	Piñas erguidas, hojas libres, muy rígidas y sin escote.
Cedrus sp.	Cedro	Piñas globosas con escamas muy estrechas, hojas pequeñas libres y agrupadas.
Cupressus arizonica	Arizónica	Fructificación redonda muy dura, hojas en forma de escama, verdeazuladas.
Cupressus sempervirens	Ciprés	Fructificación redonda muy dura, hojas en forma de escama, verde oscuro.
Juniperus comunis	Enebro	Sin piñas, fructificación carnosa, parda o azul, hojas libres puntiagudas.
Larix decidua	Alerce	Piñas muy pequeñas, hojas agrupadas y caducas.
Picea abies	Abeto Rojo, Picea	Piñas péndulas (colgantes) y largas, hojas libres y rígidas.
Pinus sp.	Pino	Piñas globosas o alargadas, ramas cubiertas de escamas y hojas agrupadas.
Pseudotsuga douglasii	Abeto de Douglas	Piñas péndulas cortas y con escamas acabadas en tres lóbulos, hojas libres y flexibles.
Taxus baccata	Tejo	Sin piñas, fructificación carnosa, roja, hojas libres, flexibles y sin escote.
Thuja orientalis	Tuja	Sin piñas, frutos leñosos en forma de pequeña castañuela, hojas escamosas, color verde amarillento.

Frutales

DENTRO DE UN JARDÍN O PEQUEÑA PARCELA, ¿CUÁL ES EL LUGAR MÁS APROPIADO PARA SITUAR UN ÁRBOL O GRUPO DE ÁRBOLES FRUTALES?

La mayoría de los frutales son sensibles a las bajas temperaturas. Es necesario, por tanto, que elija un lugar soleado, protegido del frío y del viento, sobre un suelo profundo y fértil. Como precaución, tenga en cuenta el crecimiento y dirección de las ramas ya que, con el paso de los años, aumentará en volumen y longitud, no siendo aconsejable, por este motivo, que ningún árbol de sombra esté en sus proximidades. Para favorecer el desarrollo, evite la presencia de hormigueros y avisperos cercanos al frutal, ya que los primeros propagan plagas y enfermedades, mientras que los segundos acaban con las frutas maduras.

¿QUÉ FACTORES SON NECESARIOS CONOCER PARA PREVENIR Y, EN LA MEDIDA DE LO POSIBLE, EVITAR EL TEMIDO ATAQUE DE LOS PULGONES EN LOS FRUTALES?

El principal enemigo de los frutales, aunque parezca contradictorio, son las hormigas, debido a que suelen manifestarse como las principales propagadoras de pulgones, ya que ascienden por la base del tronco para conseguir alimento y, a su paso, transportan los dañinos visitantes. En otros casos, son los mismos pulgones los que llegan por su propio pie o transportados por pájaros u otros insectos. Existen varias formas de prevenir su ataque: en primera instancia, procure mantener limpio de hierbas el suelo donde está asentado el árbol, e impregne la base del tronco con cal o cualquier otro repelente para insectos. Vigile periódicamente el envés de las hojas y los brotes que puedan servir de cobijo a los pulgones. Si advierte su presencia, no dude en eliminarlos lo antes posible, utilizando para ello un insecticida, preferiblemente de origen natural, y rocíe las partes afectadas hasta controlar su presencia.

¿CÓMO PUEDO EVITAR QUE, A CONSECUENCIA DEL EXCESO DE PESO QUE OFRECE LA ACUMULACIÓN DE FRUTA, LLEGUEN A PARTIRSE LAS RAMAS DE LOS PERALES?

Especialmente durante el período de máxima producción de fruta, las ramas tienen que soportar gran cantidad de peso extra, llegando en algunos casos a troncharse por la acción del viento o durante la recolección. Para evitarlo, sujete las ramas con tutores resistentes en forma de horquilla, con lo que reducirá el riesgo de rotura. Otro sistema consiste en podar la rama que el año anterior dió este tipo de problema, con el fin de favorecer su robustez y el cambio de dirección de crecimiento, lo que proporcionará el equilibrio de peso en las ramas.

Cuando la fruta madura en el árbol y la carga es excesiva, la rama corre el peligro de troncharse. Facilítele un buen soporte.

Una característica común dentro del amplio grupo de los frutales, es la floración previa a la aparición de las hojas.

¿CÓMO DEBO PODAR UN MANZANO PARA NO TENER QUE SUBIRME DEMASIADO ALTO AL RECOLECTAR?

Las podas en los primeros años de vida de cualquier frutal son determinantes. En primer lugar, hay que considerar que el crecimiento en altura no favorece en nada la recogida de la fruta, motivo por el que la rama guía o principal debe ser cortada una vez haya alcanzado los 150 cm de altura y tenga tres o cuatro guías laterales a su alrededor, que serán las que abran la copa del árbol a medida que este crezca. Para evitar roturas, ate todas las guías con un cordel, tensándolo hacia el centro. Este sistema ayuda a compensar el peso de las ramas, hasta que las guías adquieran la suficiente robustez.

Los colores y las formas de las frutas extraídas de nuestro jardín, son tan variados como sugerentes.

LAS HOJAS DEL CIRUELO APARECEN CON MANCHAS BLANQUECINAS Y VAN DEFORMÁNDOSE CON EL TIEMPO. ¿SE TRATA DE ALGUNA ENFERMEDAD?

El síntoma inequívoco de la presencia de hongos en las hojas del árbol es el aspecto recurvado de éstas, o la existencia de manchas en su superficie. Una vez descubierto, proceda a cortar las partes dañadas, quemándolas y rociando con fungicida el resto de ramas y hojas sanas. Compruebe que no tiene ninguna otra planta del jardín afectada, que pueda volver a traer la infección, y revise periódicamente el frutal a fin de estar seguro de que no se reproduce, en cuyo caso, tendría que repetir la operación. Si la fruta estaba madura en el momento de fumigar, no olvide lavarla y pelarla antes de comerla.

Con un buen cuidado y el adecuado mantenimiento, es posible conseguir una excelente producción de ciruelas.

En las primeras etapas de desarrollo de un frutal, es necesario proteger su crecimiento con un tutor.

Frutales con atractivo ornamental

Nombre latino	Nombre	Floración	Recolección	Características	Clima
Arbutus unedo	Madroño	Otoño-invierno	Otoño-invierno	Hojas lustrosas y perennes	Suave
Citrus sinensis	Naranjo	Primavera	Otoño e invierno	Aromático	Templado
Mespilus germánica	Níspero	Principio de primavera	Final de primavera-comienzo del verano	Pequeño tamaño, hoja perenne	Templado
Punica granatum	Granado	Primavera	Final verano, principio otoño	Llamativas flores rojas	Cálido o templado
Prunus amygdalus	Almendro	Final del invierno	Verano	Floración muy abundante	Tolera el frío

Rosales

Los pétalos, el color y el aroma, son las principales características de la rosa.

ME GUSTARÍA TENER UN ROSAL PARA RECOLECTAR ROSAS Y HACER RAMOS, ¿QUÉ OTROS USOS PUEDO DARLE A UN ROSAL?

Los distintos tipos de rosales existentes permiten diferentes usos, determinados según la variedad que vaya a emplear, y por la habilidad del jardinero que los cultive. El más común y conocido es el de obtener rosas para cortar o para conservarlas en el rosal, con el fin de disfrutar de su aroma, aunque no es el único.

Existen rosales especialmente indicados para cubrir paredes, adornar pérgolas y muros, formar grupos de distinto color, delimitar bordes en caminos o cultivarlos en maceta para terrazas y balcones, así como para la extracción de esencias naturales empleadas en la fabricación de perfumes y ambientadores.

Especial mención merece el ánimo que lleva al jardinero a cultivar rosales con el fin de propagación y multiplicación de los ejemplares, donde entra en juego la hibridación, el injerto y la obtención de esquejes.

¿QUÉ TIPO DE ROSAL RESULTA MÁS APROPIADO PARA PLANTAR EN EL JARDÍN?

Dependiendo de las características del lugar donde vaya a emplazarlos, dispone de tres grupos principales, diferenciados por su tamaño y forma. Los arbustivos, formados por tres o cuatro tallos principales que nacen a ras de suelo, en los que las flores aparecen a cualquier altura y sólo sobre los brotes del año. Otro tipo son los trepadores y sarmentosos, formados por largas ramas que ocupan una gran superficie, pero las flores sólo nacen en la parte superior de la planta, necesitando apoyo para dirigir su crecimiento.

Finalmente están los rosales de copa y llorones, caracterizados por tener porte de árbol, con un tronco formado por uno o

La extensa variedad de rosas que producen los rosales, permite su presencia en cualquier tipo de jardín.

Existen rosales capaces de trepar sobre cualquier superficie para, en primavera, deleitarnos con sus llamativas flores.

El empleo de rosales para realizar composiciones de color, produce unos resultados de gran belleza e intensidad.

dos tallos terminados en una copa más o menos redondeada, que en la época de floración forman un llamativo conjunto de flores.

¿CÓMO Y EN QUÉ ÉPOCA PUEDO TRASPLANTAR UN ROSAL?

Como primera medida, ha de tener en cuenta que el momento justo para trasplantarlo ha de coincidir con el período de reposo del rosal, el invierno, porque de este modo ni las raíces ni los tallos sufrirán una parada en su desarrollo, situación que se produciría en estaciones más calurosas. Si hubiese riesgo de heladas o el suelo estuviese helado en el momento del trasplante, debe acolchar el terreno con corteza de pino, hoja seca o paja. El mayor problema que puede encontrar es que la planta haya sufrido un desequilibrio por falta de agua, detectable porque los tallos estarían muy secos y las raíces con un tono oscuro. Si el rosal que quiere trasplantar presenta estas características, deséchelo y, a fin de evitar que la situación no se reproduzca una vez adquirido, tendrá que plantarlo tan pronto como sea posible.

Compruebe que el tamaño de las ramas y las raíces esté equilibrado (tomando como referencia el nivel del suelo, la altura y el grosor de la parte aérea, con respecto a las raíces, han de ser similares) y, si no es así, pode la parte más larga para conseguir una figura uniforme y que el rosal crezca con las proporciones adecuadas.

Un problema muy común es que el rosal no crezca con el grosor adecuado, encontrándonos con ejemplares de tallos largos y finos. Subsane este pequeña diferencia, podando tallos y raíces para favorecer el crecimiento en vigor de toda la planta, porque la robustez del tallo tiene mucho que ver con la resistencia a enfermedades y plagas.

En el caso de los rosales arbustivos, que poseen los injertos en el cuello de la raíz, éste debe quedar justo a ras de suelo y cubierto por la tierra.

La poda y los injertos que deben realizarse en el rosal, generalmente, han de practicarse en la base del tallo.

En primavera es la época en que los rosales se encuentran en todo su apogeo.

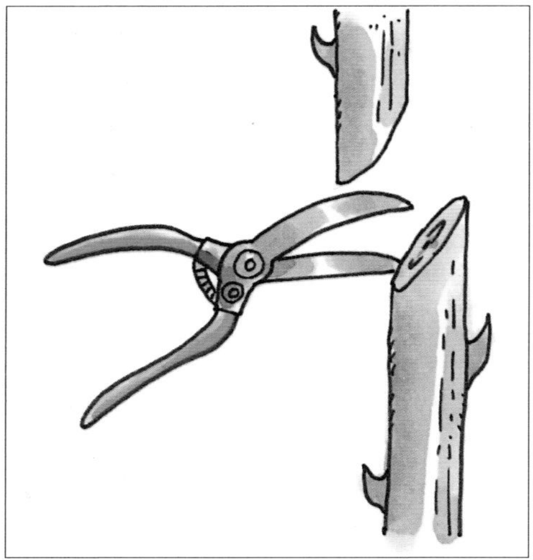

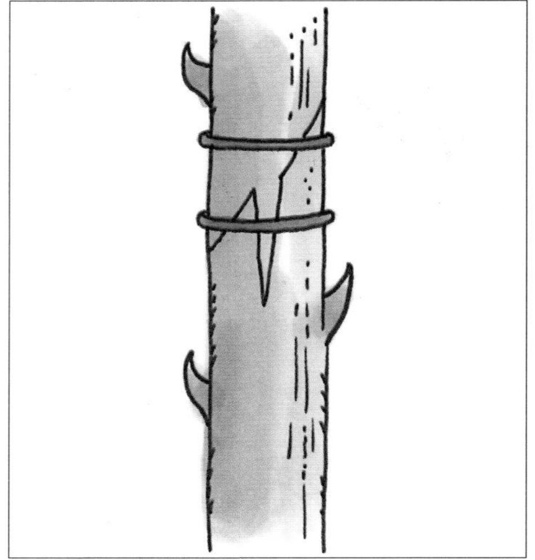

El injerto inglés ha de realizarse con gran precisión, y sobre tallos de idéntico grosor. Es el único modo de obtener un buen resultado.

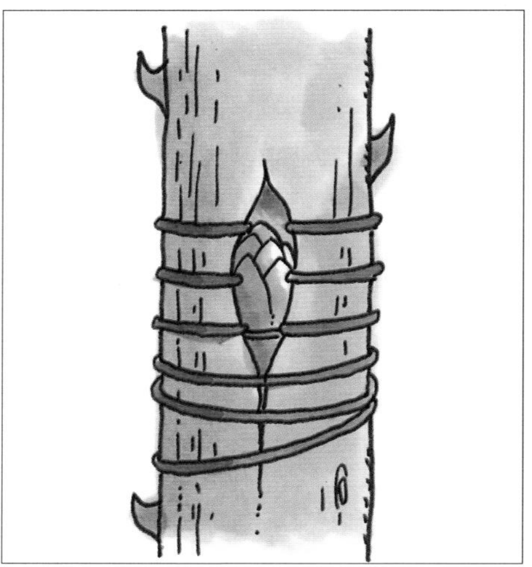

Para conseguir el injerto de escudete, la incisión debe producirse en la zona por donde fluye la savia, tanto en la yema como en el portainjertos.

TENGO ENTENDIDO QUE LA HIBRIDACIÓN RESULTA ALGO DIFÍCIL . ¿PUEDO CULTIVAR ROSALES A PARTIR DE LAS SEMILLAS?

Los rosales son una de las especies que mayor número de hibridaciones puede llegar a tener. La polinización en los rosales se produce a través de los insectos, que acuden hasta sus flores para alimentarse y, como puede suponer, no distinguen entre variedades ni tipos de rosas. Debido al imprevisible origen del polen, las semillas resultantes no siempre dan lugar a ejemplares aptos para jardinería.

Esta situación puede ser modificada si la polinización es llevada a cabo artificialmente por expertos jardineros, consiguiendo, de este modo, las variedades y ejemplares deseados sin necesidad de encontrarse con sorpresas. Para fecundar una rosa con el polen de otra, tiene que aislar por completo los capullos antes de que se abran y eliminar los estambres, previamente a que maduren los granos de polen, recolectando el que más le interese con un palillo de algodón o unas pinzas. Para consumar la fecundación y que corresponda con la que usted desea, debe realizar todo el proceso casi en condiciones de esterilidad. Independientemente del esfuerzo y la paciencia que supone polinizar rosas, está la lentitud con la que las semillas son capaces de germinar y desarrollarse hasta dar ejemplares adultos, por lo que la mayoría de los aficionados a la jardinería prefieren el cultivo de esquejes de tallo o de ejemplares ya adultos, resultando el modo más eficaz para disfrutar de la belleza y aroma de las rosas en un corto espacio de tiempo.

¿QUÉ TIPO DE INJERTO ES EL MÁS INDICADO PARA REALIZAR EN UN ROSAL?

Existen dos tipos principales de injertos, dependiendo del tipo de rosal que se trate. Los de pies espinosos y reproducidos por estaca, son los más adecuados para la práctica del injerto inglés, que debe realizarse en invierno, uniendo el patrón y el injerto a través de un corte oblicuo con escalón longitudinal, teniendo la precaución de que las dos secciones presenten el mismo diámetro. El

Uno de los rosales más conocidos y admirados es el de pitiminí, caracterizado por su pequeño tamaño.

injerto de yema o escudete da buenos resultados sobre pies reproducidos por semilla y sin espinas, efectuándolo al final del verano, sobre el cuello de la raíz de un portainjertos. Realice una incisión sobre la corteza en forma de "T", separando los bordes, a fin de dejar espacio para que penetre la yema, procedente de un brote del mismo año, en su interior. Ambos injertos han de permanecer atados al menos dos semanas, hasta que hayan agarrado.

¿QUÉ CARACTERÍSTICAS SE TIENEN EN CUENTA PARA ESTABLECER LAS VARIEDADES DE ROSALES?

Entre la gran cantidad de caracteres que posee el rosal, desde el punto de vista estético, y la posibilidad que existe de mejorarlos, mediante la selección durante su cultivo, los especialistas han sido capaces de conseguir variedades desde espectacularmente bellas hasta increíblemente resistentes a enfermedades. Las características más importantes pueden ser enumeradas empezando por el porte de la planta, si es trepador, arbustivo, de copa, sarmentoso, de tallo bajo o llorón. La resistencia a enfermedades y podredumbres, así como al ataque de pulgones, establece otra diferenciación. El número de rosas que produce, ya que el cultivo siempre va encaminado a la selección de aquellos rosales que mayor número de rosas dan durante el período de tiempo más amplio, marca otra importante selección.

Así mismo, se valora el color de las rosas, donde destaca, por un lado, la intensidad y, por otro, la mezcla de colores, siendo importante el número de pétalos y la forma de los mismos. Para concluir, se evalúa también la capacidad de hibridación, la calidad de los portainjertos y el aroma de las flores.

¿CÓMO PUEDO REDUCIR LOS PULGONES SIN DAÑAR LOS CAPULLOS DE LAS ROSAS?

Lamentablemente, esta es una tarea de difícil realización, ya que lo indicado hubiera sido prevenir la proliferación de estos pequeños organismos. Para que no vuelva a ocurrirle, ha de revisar con frecuencia el envés de las hojas del rosal, porque es donde primero aparecen. Si detecta su presencia, lave con agua jabonosa las partes dañadas y rocíe el resto de la planta con insecticida; sólo así controlará su crecimiento. En caso de que la infección llegue en algunos lugares a cubrir totalmente los tallos, aplique el mismo método pero con mayor intensidad y, si es necesario, corte los tallos más afectados, porque seguramente estén deformados y no podrán ser recuperados. Impregne la base del tallo y la superficie del suelo con productos repelentes, ya que muchos de estos diminutos organismos caen sin llegar a morir y podrían ascender de nuevo.

Especies de rosal más comunes

Nombre latino	Nombre	Origen	Características	Empleado en
Rosa canina	Rosal Silvestre o Escaramujo	Europa y Oriente Próximo	Flores pequeñas con pocos pétalos y de color blanco o rosado. Tallo arbustivo y espinoso	Solitario, especialmente indicado para portain jertos e hibridaciones.
Rosa chinensis	Rosal de China	China	Flores de pequeño tamaño, solitarias o en grupo, de color rojo, rosa o blanco. Tallo enano, sarmentoso o espinoso	Solitario, macetas y flor cortada.
Rosa gallica	Rosal de Francia	Europa Central	Flores solitarias o en grupo, de color rojo o rosa. Tallo de pequeño tamaño, rastrero o arbustivo	Solitario, flor cortada obtención de esencias.
Rosa indica	Rosal de Té	China	Flores grandes, solitarias o dobles, de color rosa, amarillo o blanco. Tallo sarmentoso y espinoso de tallo bajo, arbustivo o llorón	Portainjertos de llorón, setos, flor cortada.
Rosa moschata	Rosal Almizclado	Cordillera del Himalaya	Flores agrupadas blancas. Tallos altos y trepadores	En pared como trepa dores.
Rosa semperflorens	Rosal de Bengala	China	Flores agrupadas, de color blanco, amarillo o rosa. Tallo de pie alto y sarmentoso, espinoso	Portainjerto de llorón, setos.

Helechos

¿EN QUÉ TIPO DE AMBIENTE SE DESENVUELVE MEJOR UN HELECHO?

Debido a la gran fragilidad que les caracteriza, esta clase de plantas no soportan ni las bajas temperaturas (en concreto, las zonas donde existe peligro de helada), ni los lugares secos (necesitan abundante agua para sus raíces), requiriendo, en general, un ambiente húmedo y templado.

De forma natural, crecen adecuadamente en un típico clima Atlántico, donde los dos condicionantes anteriores no les falta, aunque en ambientes más rigurosos es posible tenerlos en jardines muy frondosos y protegidos, al resguardo de las heladas invernales y del intenso sol estival, manteniéndolos siempre con un alto grado de humedad. Los climas áridos no son muy recomendables para los helechos, limitándose, en cualquier caso, el cultivo a interiores, donde si es factible su desarrollo.

¿POR QUÉ NO TIENEN FLORES LOS HELECHOS?

La cualidad más importante y singular de estos vegetales, radica en que, aún teniendo aspecto de planta en toda regla, es decir, poseen tallo, raíz y hojas, no se reproducen a partir de flores, y en ellos no es posible contemplar otro color que no sea el verde de sus hojas o el pardo de los tallos.

Ante tal singularidad, la respuesta a la pregunta de cómo son capaces de reproducirse, está en el envés de las hojas. En cierta época del año, dependiendo de las condiciones atmosféricas, aparecen una serie de puntos o líneas de color pardo oscuro, por detrás de las hojas, donde al cabo de unas semanas es posible encontrar millones de pequeñas esporas (semejantes a las semillas que producen las flores) que son capaces por si mismas, una vez maduras, de germinar y convertirse en un nuevo helecho tan hermoso como el original.

Azolla caroliniana es un helecho de pequeñísimo tamaño, que vive flotando sobre aguas calmadas.

Una de las características que mejor describen a un gran número de especies de helecho, es la división de sus hojas en pequeños lóbulos.

QUIERO TENER MÁS EJEMPLARES COMO EL HELECHO REAL. ¿CÓMO PUEDO REPRODUCIRLO?

Previamente, ha de saber que hay esporas que tienen los dos sexos unidos y a partir de ellas mismas aparece el nuevo helecho, pero también es posible que el ejemplar de su jardín sólo produzca esporas de un único sexo. La tarea se presenta un poco complicada, ya que es necesaria la siembra de esporas

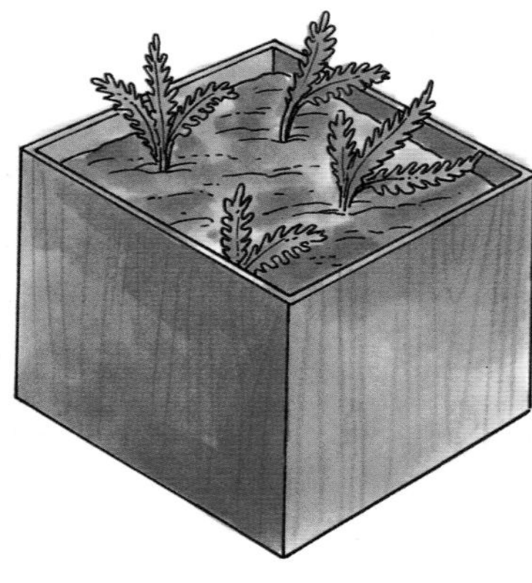

Debido a la ausencia de floración, este tipo de vegetales se multiplica a partir de esporas. Sólo germinan en buenas condiciones de humedad y temperatura.

Zonas frescas y sombrías, son las que necesita el helecho real para desarrollar sus largas hojas.

procedentes de distintos sexos. Intente recolectar esporas de varias hojas y, si es posible, de ejemplares distintos para tener más posibilidades de éxito.

En cualquier caso, primero tendrá que recolectar las esporas cuando estén maduras (localizadas sobre los soros, pequeñas manchas pardas, en el envés de las hojas). Obténgalas cuando los soros estén abiertos, raspándolos cuidadosamente sobre una hoja de papel, y transpórtelos a una maceta o semillero con compost muy húmedo. Una vez depositadas, tendrá que cubrirlo con un cristal, a ser posible opaco, y mantener el conjunto en un lugar cálido. Retire periódicamente el cristal para ventilar y regar el compost. Tras un par de semanas, aparecerán unas pequeñas hojitas, en forma de corazón, a partir de las cuales nacerá el nuevo helecho adulto, momento en que ya podrá trasplantarlo a una maceta, y al final del próximo invierno a su lugar definitivo.

¿Dónde podría colocar varios ejemplares de helecho espada para ensalzar su figura?

El lugar donde puede plantar un helecho depende, principalmente, del clima de la zona. En cualquier circunstancia, el suelo necesariamente ha de ser fértil y húmedo, aireado y con cierta profundidad. Ahora bien, en climas de intenso frío, tiene que emplazarlo a resguardo, protegido por la copa de un árbol, el recoveco de una escalera, o cualquier otro tipo de construcción.

La fragilidad y delicadeza de la mayor parte de los helechos, obliga a que su cultivo se lleve a cabo en ambientes muy húmedos.

Si el jardín estuviese en un lugar seco o muy caluroso, aproveche para situarlo en una zona orientada al norte, en un lugar fresco, a ser posible en las inmediaciones de una fuente o pequeño estanque. En las regiones de climas suaves y húmedos, podrá disfrutar de ellos en cualquier lugar del jardín, creciendo en el hueco de un árbol, sobre unas rocas situadas estratégicamente o en la misma terraza.

Las puntas de las hojas del helecho comienzan a secarse, ¿Qué puedo hacer para evitarlo?

Esta situación puede venir provocada por tres motivos básicamente. Bien por humedad ambiental insuficiente, por escasez de agua en el terreno, o bien por estar expuesto a los rayos solares directos, que llegan a quemar las hojas, en especial cuando están mojadas. Para poder corregir esta carencia, proteja el suelo con trozos de musgo, manteniéndolos siempre húmedos, e intente proporcionarle una buena sombra bajo un grupo de árboles y arbustos. No olvide rociar frecuentemente con agua las hojas en los periódos más calurosos del año.

Especies de helechos más características

Nombre Latino	Nombre	Resistencia Frío-sequedad	Hábitat
Asplenium nidus	Helecho Nido de Ave	Delicado	Humedad y sombra.
Azolla caroliniana	Helecho Acuático	Resistente	Acuático.
Adiantum capillus-veneris	Culantrillo de Pozo	Delicado	Mucha humedad, en bordes de fuentes y estanques, sombra.
Ceterach officinarum	Doradilla	Resistente	Humedad y sol.
Davallia canariensis	Helecho Epífito	Delicado	Humedad y temperaturas suaves, vive sobre el tronco de los árboles.
Driopteris filix-mas	Helecho Macho	Resistencia media	Humedad, sombra.
Osmunda regalis	Helecho Real	Resistencia media	Humedad, borde de estanques.
Phyllitis scolopendrium	Lengua de Ciervo	Delicado	Humedad, sombra.

Enredaderas

A causa del rápido crecimiento con que se desarrollan los tallos de las trepadoras, se hace indispensable el uso de tijeras de poda.

ME GUSTARÍA CUBRIR EL TECHO DE LA TERRAZA CON LAS HOJAS DE ALGUNA ESPECIE ORNAMENTAL, ¿CÓMO PUEDO DECORAR TECHOS Y PAREDES CON PLANTAS TREPADORAS?

La mayoría de las trepadoras son capaces de producir raíces adventicias sobre sus tallos, lo que les permite fijarse a las paredes ramas o rocas por las que trepan, así como absorber agua y alimentos de cualquier superficie. Por otro lado cuentan con los zarcillos, prolongaciones del tallo, que se enrollan en cualquier lugar.

Hay que tener en cuenta que estas plantas llegan a medir varios metros de longitud, necesitando apoyos extra para poder desarrollarse adecuadamente. Ha de mencionarse que si la planta viviese en su medio natural, no sería necesaria ninguna ayuda adicional pero, dado que en el jardín están sometidas al contacto con el ser humano, no podemos exponernos a ver como una enredadera que lleva años creciendo se viene abajo por un simple tirón. Si no quiere encontrarse en esta situación, es conveniente que sujete las ramas con cordeles, empleando argollas o escarpias estratégicamente distribuidas por el techo o la pared. Colóquelas a una distancia mínima de 1 m sobre las paredes y de unos 50 cm en el techo. Deje crecer la planta hasta que sobrepase el siguiente punto de sujección y átela con cordel o cinta plastificada. Recuerde que el nudo no debe estrangular al tallo para no interferir en su crecimiento, por lo que será conveniente que, de forma periódica, revise las zonas anudadas, manteniendo siempre cierta holgura.

QUIERO QUE LA ENREDADERA NO LLEGUE HASTA LA PARED DEL VECINO. ¿CÓMO PUEDO DIRIGIR SU CRECIMIENTO?

Una vez plantada la enredadera en el lugar deseado, tendrá que dirigir sus ramas para que cubran rápida y eficazmente los límites prefijados; la fachada de la casa o cualquier otra superficie que desee. Deberá emplear algún elemento que le sirva de guía, como pueden ser tutores, alambres y cordeles, o mallas entrelazadas, que podrá encontar en distintos acabados y colores, de forma que no rompan la estética previamente planteada. La colocación de estos accesorios de sujección, se realizará desde la base de la planta, marcando la dirección adecuada. No dude cortar aquellas ramas que crecen en sentido equivocado o, si lo cree oportuno, recondúzcalas hacia otro lado. Sobre las paredes y techo de los porches o terrazas, el consejo más práctico es que, sirviéndose de un cordel, marque la dirección que quiere que siga la enredadera, uniendo distintos puntos de la superficie elegidos de antemano. A medida que la planta vaya creciendo y su extremo se separe del cordel, tendrá que volver a sujetarlo, dando con el tallo vueltas en espiral a su alrededor. En grandes superficies, es conveniente que emplee más de un ejemplar, situándolos estratégicamente en distintos lugares, para poder cubrir con mayor rapidez el espacio elegido.

Transcurridos varios años, es posible que tan sólo dos o tres matas de enredadera sean capaces de cubrir una gran superficie.

Existen distintos elementos de decoración, que también sirven para ayudar en el crecimiento a distintas especies de enredaderas.

En la naturaleza, estas plantas crecen trepando sobre otras especies de mayor tamaño.

NO ME DECIDO A LA HORA DE ADQUIRIR UNA ENREDADERA. ¿CUÁL ME RESULTARÍA MÁS APROPIADA?

Actualmente existen gran variedad de plantas trepadoras. Algunas destacan por sus flores y el aroma que desprenden, y otras por el rápido crecimiento de sus tallos, aunque también es importante si las hojas son perennes o, por el contrario, caen en el otoño, si tienen gran frondosidad, o si el color de las hojas es más o menos intenso o varía con el cambio de estación. Como puede observar, dispone de distintas alternativas para poder elegir, pero conviene que sopese sus necesidades, ya que cada una es útil en una determinada situación y responde a un cierto propósito. Para la fabricación de un seto, las especies de hoja perenne y gran frondosidad son las más indicadas, como por ejemplo, la hiedra. Si lo que quiere es cubrir una fachada, no hay nada como la hiedra holandesa, de hoja caduca, que cambia sus tonos verdes por un hermoso color rojizo con la llegada del invierno. Para adornar jardines y columnas, la mejor opción pasa por aquellas de aromas intensos, como pueden ser la madreselva o el jazmín.

La madreselva, además de por su frondosidad, es admirada debido al agradable aroma que desprenden sus flores.

Enredaderas más comunes

Nombre latino	Nombre	Características	Climatología
Bougamvillea glabra	Buganvilla	Hojas ligeras, Flores muy pequeñas pero protegidas por unas hojas muy llamativas.	Climas cálidos.
Hedera helix	Hiedra	Perenne	Hojas lustrosas, flores poco llamativas. Muy resistente a climas adversos.
Jasminum sp.	Jazmín	Hojas pequeñas, Flores muy aromáticas.	Climas suaves.
Lonicera japonica	Madreselva	Hoja caediza, flores amarillas y muy olorosas.	Resistente el frío y la sequedad.
Parthenocissus sp.	Hiedra Holandesa	Hojas caducas, de color rojizo en otoño.	Climas fríos.
Wisteria sp.	Glicinia	Hojas pálidas, flores en racimos de color azul-violeta.	Climas templados.

Setos y arbustos

Si tiene la intención de mantener una línea recta a la hora de podar el seto, necesitará un punto de referencia que le guíe.

¿CÓMO ES POSIBLE MANTENER UNA LÍNEA RECTA A LA HORA DE PODAR UN SETO?

Si no es un experto en la poda de setos, y no quiere que tras el corte de sus ramas muestren extraños desniveles en su perfil, dispone de un sencillo método.

Para empezar, antes de ponerse manos a la obra, consiga un cordel o cuerda de longitud algo mayor del largo del seto. A continuación, fije a sus extremos dos puntos de sujeción, con el fin de crear una línea de referencia obligada durante todo el proceso de poda. Compruebe desde varias perspectivas que su colocación sea la correcta, para poder subsanar, antes de nada, cualquier posible error. Seguidamente, puede comenzar a cortar, procurando no sobrepasar ni seccionar la cuerda, y revisando periódicamente el trabajo realizado.

¿A QUÉ DISTANCIA ES ACONSEJABLE PLANTAR PARA CONSEGUIR UN TUPIDO SETO?

Depende esencialmente de la especie que vaya a emplear, motivo por el que tendrá que conocer cuales son las dimensiones que llegará a alcanzar la planta, así como si prefiere obtener altura con poca densidad, anchura y escasa altura, o cualquier otra combinación. Tomando como ejemplo la arizónica, conífera de rápido crecimiento que consigue gran altura, su denso follaje puede moldearse mediante poda, por lo que constituye una buena especie para seto, aunque también es empleada como arbusto solitario en algunos casos.

Considerando que los ejemplares obtenidos en vivero no superarán 1,5 m de altura, con una anchura máxima de unos 40 cm, la distancia aconsejable entre ejemplares es de aproximadamente 1 m, y el tronco ha de quedar separado del muro o valla por un mínimo de 50 cm.

¿QUÉ DEBO HACER PARA QUE UN LAUREL REAL CREZCA FRONDOSO Y NO ALARGADO?

Tanto en arbustos como setos, puede conseguir una buena masa vegetal, compacta y lustrosa, mediante unos sencillos cuidados. Durante los primeros años de crecimiento de los ejemplares, dependiendo de cada especie, puesto que algunas crecen con mayor rapidez que otras, no es aconsejable que pode la planta en la parte superior, hasta que no llegue a alcanzar la altura necesaria.

Una vez lo haya logrado, tendrá que despuntar el eje principal y, a partir de ese momento, las ramas laterales tomarán el relevo, aumentando el volumen del arbusto.

Para evitarlo, deberá dirigir la poda hacia las ramas periféricas, con lo que conseguirá el crecimiento de los brotes internos de la planta e, indirectamente, el aumento de la frondosidad. Cuando el laurel real no tiene una ramificación abundante, puede plantar varios pies juntos, con objeto de con-

Para la formación de un seto, es común el empleo de arbustos con flores agradables por su intenso aroma.

trarrestar el defecto de follaje. Esta operación es aplicable, igualmente, al resto de arbustos que crecen a partir de un tronco principal, como le sucede al aligustre, el bonetero o la budleya.

QUIERO CUBRIR LO MÁS RÁPIDAMENTE POSIBLE LOS LÍMITES DE MI TERRENO, ¿CUÁNTO TIEMPO TENGO QUE ESPERAR PARA CONSEGUIR UN BUEN SETO?

Como término medio, nunca suele conseguirse un buen tamaño hasta transcurridos tres o cuatro años después del trasplante definitivo, suponiendo que la planta disfrute de unas buenas condiciones de cultivo.

Previamente a la instalación, es necesario conocer los condicionantes que influyen en el crecimiento de una planta. En primer lugar, está la propia planta, su velocidad de desarrollo, y el tamaño que tenía al adquirirla, porque no todas crecen con la misma rapidez. El aligustre y la arizónica, por ejemplo, son de crecimiento rápido, mientras que el espino y el celindo, tardan mucho en alcanzar un tamaño aceptable.

Por otro lado influye la climatología, siendo evidente que en climas cálidos y húmedos las plantas crecen en mejores condiciones, mientras que el frío y la falta de agua reducen o ralentizan el desarrollo. Otro factor importante es la orientación que tengan las plantas; en climas secos y calurosos, se ven favorecidas orientadas al norte, al contrario de lo que ocurre en climas con bajas temperaturas.

La forma más sencilla de conseguir un tupido seto es mediante el cultivo de varios ejemplares de arizónica.

Algunas conocidas especies para setos

Nombre latino	Nombre	Uso y características
Buxus sempervivum	Boj	Formación de setos bajos, poda ornamental.
Cupressus arizonica	Arizónica	Formación de setos o individual, sin floración.
Laurus novilis	Laurel	Individual, hojas aromáticas y condimentarias.
Ligustrum sp.	Aligustre	Formación de setos, flores muy olorosas.
Philadelphus sp.	Celindo	Individual, gran tamaño floración muy abundante de color blanco.
Spirea sp.	Espino, Espirea	Formación de setos, robusto y espinoso.
Viburnum sp.	Viburno, Durillo, Bola de Nieve	Individual, floración abundante, blanca y muy vistosa.
Euonymus sp.	Bonetero	Formación de setos o individual, preciosas hojas veteadas.

El celindo es uno de los arbustos cultivados por su resistencia al frío, así como por la abundante floración.

Los lilos, con flores de color violeta o blanco, impregnan de olor aquella zona del jardín donde estén situados.

Praderas de césped

QUIERO PONER CÉSPED EN UNA ZONA DETRÁS DE LA CASA. ¿QUÉ DEBO PLANTEARME?

Para evitar encontrarse con alguna sorpresa a medio plazo, es imprescindible que plantee de forma global los requerimientos, características y uso que dará a la futura pradera. No es lo mismo el césped destinado a juegos y deportes, que el empleado con fines decorativos.

Como punto de partida, lo más importante a tener en cuenta es el clima de la zona, el tipo de jardín y las características de su suelo. Estos tres puntos se encuentran estrechamente unidos, y no deberían ser tratados de forma independiente. Tiene la posibilidad de ajustar el tipo de césped a las condiciones de su jardín, o también es factible, mediante un esfuerzo añadido, modificarlas de acuerdo con sus necesidades.

Por ejemplo, en lugares muy calurosos, es conveniente plantar árboles que proporcionen buena sombra al césped, sobre suelos rocosos existe la posibilidad de añadir una buena capa de tierra para sembrar la pradera, o si el terreno es arenoso y quiere poner césped fresco y ornamental, puede añadirle arcilla y mantillo en buenas cantidades para conseguir un suelo fértil.

DEPENDIENDO DEL USO QUE VOY A DAR A LA PRADERA, ¿PUEDO ELEGIR ENTRE DISTINTOS TIPOS DE CÉSPED?

Existen distintos tipos de césped y, en general, cada uno está especialmente indicado para los diversos usos que se le pueda dar a la pradera aunque, en muchos casos, se obtienen buenos resultados con la mezcla de varias especies, a fin de conseguir mejorar la estética del mismo. Comercialmente, las casas productoras de semillas etiquetan los envases para que el cliente pueda escoger entre varias opciones, en función siempre de la calidad o aspecto deseado.

Cabe destacar, entre otras, las mezclas para realizar una repoblación rápida de zonas dañadas, las especies que mayor resistencia ofrecen al pisoteo y la práctica de deportes, las que son estéticamente muy llamativas, empleadas en decoración, y las que necesitan lugares sombreados por su gran finura y densidad. De igual modo, hay mezclas muy útiles para lugares rústicos, que son resistentes, vigorosas y poco exigentes, o mezclas específicas, idóneas en terrenos muy áridos.

Por último, conviene mencionar las especies que son empleadas para mezclar con otras, como ocurre con Trifolium repens (Trébol) o Lolium perenne (Ray grass).

La recogida de las briznas de hierba que quedan esparcidas, completa la labor de siega.

¿QUÉ ESPECIES SON LAS MÁS APROPIADAS PARA LUGARES CALUROSOS, ÁRIDOS O FRÍOS?

La mayoría de las especies de césped que normalmente son empleadas en jardinería, proceden de países con clima Atlántico, lo que implica inviernos suaves, veranos poco calurosos, y lluvias a lo largo del año.

El césped que crece bajo estas condiciones, es muy vulnerable a los cambios bruscos de temperatura y a la radiación solar intensa, por lo cual, si decide sembrar una pradera de césped, ha de tener presente la climatología de su zona, si la región dispone de una reserva suficiente de agua durante la época de verano, y si las altas y bajas temperaturas suponen un gran contraste a lo largo del año.

En zonas áridas o frías, como en las calurosas y secas, debe escoger especies de alta resistencia como son Cynodon dactilon (Grama), de hojas pilosas en la cara inferior y tallos cubiertos por escamas, capaz de vivir sobre terrenos arenosos y pedregosos, o Panissetum clandestinum (Grama gruesa), de hoja ancha y fina al tacto, con color verde pálido, que sobrevive a climas secos y resiste temperaturas muy bajas, colonizando zonas sin cultivar a partir de estolones, y ofreciendo la ventaja añadida de que, tras varios meses sin agua, es capaz de regenerarse con la llegada de las lluvias.

Quiero que la pradera esté lista para el otoño, ¿Cuál es la mejor época para sembrar?

Teniendo en consideración que el clima es determinante para la vida y desarrollo de las plantas, en el caso concreto de la siembra de la pradera, el frío es el factor limitante en el invierno, al igual que la falta de agua en pleno verano.

La época idónea para preparar el terreno es a finales de invierno, y la más indicada para la siembra del césped a comienzos de primavera. De todos modos, no existe ningún problema si decide realizar esta operación en los meses sucesivos hasta la llegada del verano. Los únicos inconvenientes que pueden perjudicarle, son repentinas tormentas de granizo o períodos de fuerte calor, que dañarían la germinación de las semillas.

Cuando aparezca el calor intenso del estío, es preferible que todas las semillas hayan germinado y el césped adquirido ya una cierta altura. Si no tuviese más remedio que sembrar en esta época, es conveniente que espere al final del período estival, en el intérvalo de tiempo que resta hasta la llegada del invierno, siendo el último mes del verano la mejor opción.

En regiones de inviernos suaves, es preferible que retrase la siembra hasta finales de otoño, lo que posibilitará que al comienzo de la primavera la pradera esté ya totalmente cuajada.

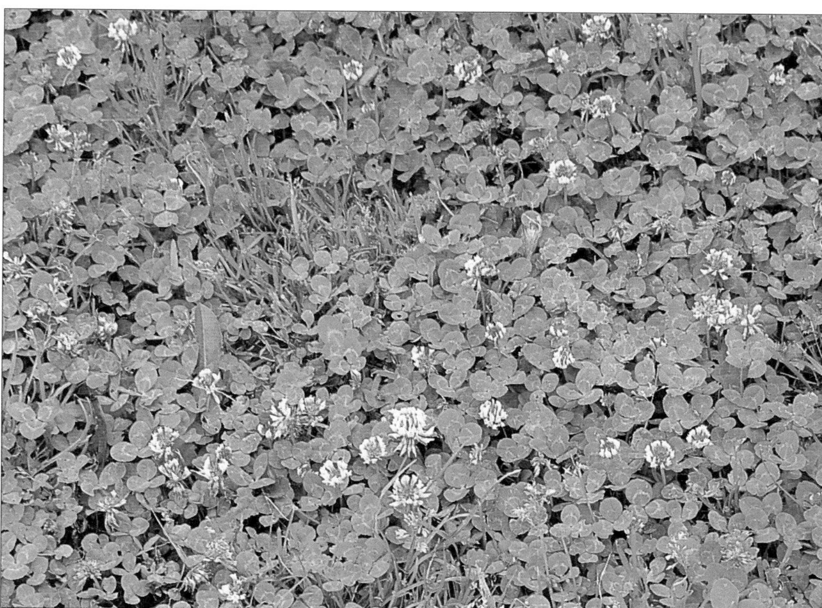

El trébol es uno de los complementos más utilizado en la mezcla empleada para la creación de una pradera.

Han salido algunas "calvas" en el césped y no resulta estético. ¿Qué debo hacer para regenerar estas zonas?

Los daños que puede sufrir el césped de una pradera son varios, aunque los más comunes vienen motivados por una incorrecta utilización, el derrame de productos químicos sobre la misma, detergentes, aceites, etc., la falta de cuidados o las malas condiciones del terreno.

Para corregir las denominadas "calvas", podrá escoger entre dos sistemas. El primero sería la regeneración por semillas; esto es, sembrar de nuevo la zona dañada, con la posibili-

Los elementos de decoración incluidos dentro de la pradera, embellecen el entorno pero impiden la utilización de la cortadora de césped.

La calidad y aspecto del césped que tenga su jardín, dependerá de la buena preparación del terreno y los cuidados dispensados en las primeras etapas de crecimiento.

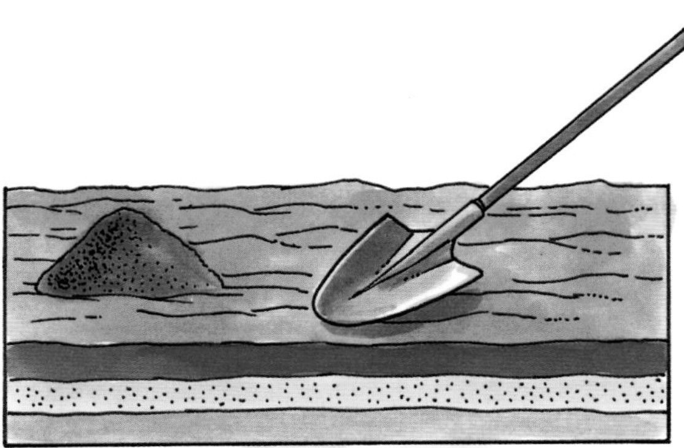

dad de emplear césped de rápido crecimiento y de mayor resistencia. Para la obtención de un buen resultado, es imprescindible que retire la capa de tierra que ha quedado despoblada, sin escatimar a la hora de delimitar los bordes, replantando luego toda la zona que haya sufrido daño o que presente cualquier síntoma de debilidad. Empleando esta técnica, la pradera tarda un cierto tiempo en adquirir su aspecto original, si bien es cierto que, tras varias siegas, no se perciben apenas contrastes entre el césped antiguo y el nuevo. También tiene la posibilidad de realizar la sustitución de la parte dañada mediante "tepes de césped", planchas de césped ya crecido y enraizado de gran resistencia, en cuyo caso la pradera volverá a ser de utilidad a los pocos días, aunque la silueta del parche pueda desentonar y llamar algo la atención.

¿CUÁLES SON LAS LABORES TÍPICAS DE MANTENIMIENTO DE UNA PRADERA?

La primera y principal es el riego, porque el césped es muy sensible a la sequía y el suelo de la pradera ha de mantenerse siempre húmedo, especialmente en verano.

Debido a las condiciones en que se desarrolla, el continuo crecimiento obliga, inevitablemente, a segar la pradera con frecuencia si quiere que ofrezca un aspecto saludable.

En invierno no tendrá que cortarla más que una vez cada dos o tres semanas, pero en pleno verano es casi una tarea semanal, si no desea trabajar luego el doble. Tras la siega, quedan briznas de hierba esparcidas por toda la pradera y, para evitar que se dispersen, deberá recogerlas. Puede optar por hacerlo nada más acabar o esperar un día y, cuando estén secas (lo que facilita la identificación y recogida), retirarlas.

Para mantener un aspecto uniforme e impedir, en la medida de lo posible, la proliferación de malas hierbas, conviene arrancar cualquier planta ajena a la pradera, tan pronto como la haya localizado.

No es recomendable el uso de herbicidas para eliminar las malas hierbas porque, aunque son selectivos, siempre existe un cierto peligro de intoxicación, sobre todo ante la proximidad de niños y animales domésticos. En la mayoría de los casos, es suficiente con abonar una vez al año en primavera aunque, en climas muy calurosos, puede necesitarlo una segunda vez en otoño, ya que se agota con mayor rapidez.

ME GUSTARÍA SER YO MISMO QUIEN PONGA LA PRADERA. ¿CÓMO PUEDO SEMBRAR FÁCILMENTE EL CÉSPED?

Para sembrar una pradera por primera vez, es preciso preparar con anterioridad el terreno, resultando de vital importancia

Un suelo cubierto de una verde pradera de césped, es siempre un agradable elemento decorativo dentro del jardín.

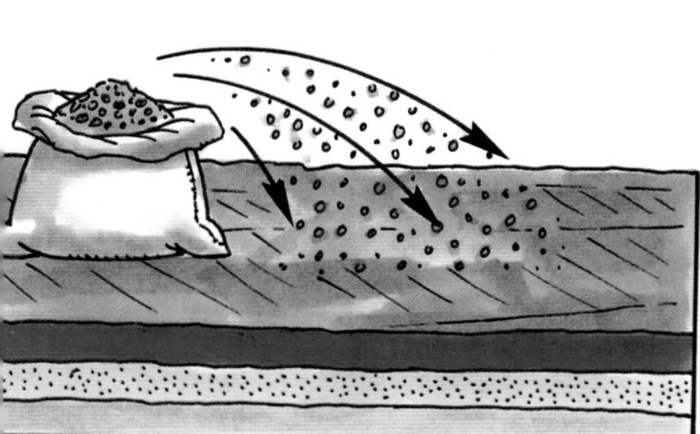

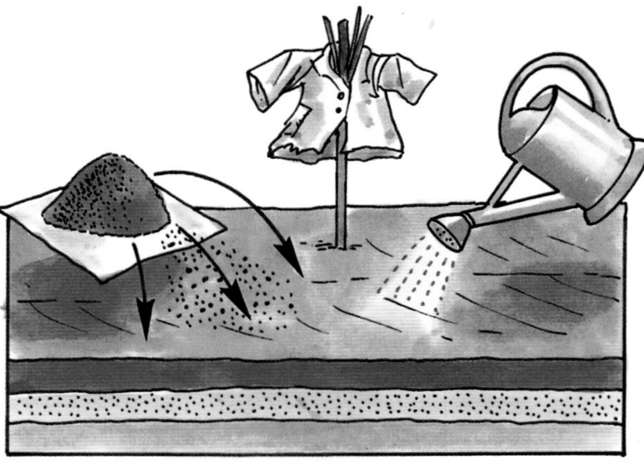

En el paso a paso inferior, podemos ver, de arriba a abajo:
1. Mediante una pala de borde plano, corte la zona dañada con cierta holgura.
2. Retire toda la pieza con su compost correspondiente. Añada luego abono, si lo considera oportuno, y a continuación riegue.
3. Coloque el tepe ajustándolo al espacio, fijándolo con unas grapas por los bordes a fin de que no se levante. Termine de rellenar con compost cualquier ranura que hubiera podido quedar.

para disfrutar de un césped sano y con buen aspecto. Tendrá que limpiar de malas hierbas toda la zona elegida y labrar la tierra, retirando las piedras y aireándola adecuadamente. Si el terreno careciese de caída natural de aguas, convendrá que excave canales de drenaje desnivelados, los cuales partirán de las zonas donde exista peligro de encharcamiento o acumulación de agua, hasta los límites de la pradera, proporcionándoles una capa más o menos gruesa de grava. Deberá abonar la zona con estiércol o mantillo, nivelando toda la superficie a sembrar, ayudándose primero con un rastrillo, y después con un rodillo apisonador.

Una vez preparado el terreno, sembrará las semillas a mano, distribuyendo la cantidad necesaria por unidad de superficie (especificada en el envoltorio), cubriéndolas con una fina capa de mantillo para, seguidamente, regar toda la zona en abundancia. A partir de este momento, sólo tendrá que esperar a que germinen las semillas.

Como recomendación, conviene acordonar toda la superficie sembrada para evitar que sea pisada, así como colocar cualquier elemento llamativo, tal como un espantapájaros, cintas de colores, etc., que aleje a los pájaros, ya que podrían comer grandes cantidades de semilla en pocos días. Recuerde que la tierra debe estar siempre húmeda, para que el césped crezca con normalidad.

¿EN QUÉ ÉPOCA DEL AÑO ES CONVENIENTE ABONAR EL CÉSPED?

El abono suministrado en el momento de la siembra no dura siempre y, con el paso del tiempo, el césped lo consume, llegando a agotarlo, lo que puede acarrear serias consecuencias en la pradera si no se pone remedio.

En términos generales, es necesario que abone como mínimo una vez al año, siempre al final del invierno o principios de primavera, justo cuando las temperaturas comienzan a subir. Dependiendo de las condiciones de la zona, en climas muy cálidos, tendrá que abonar otra vez más al final del verano.

El modo de hacerlo es esparciendo mantillo, de forma homogénea por toda la superficie de la pradera, regando en abundancia a continuación. En lugares próximos a zonas rura-

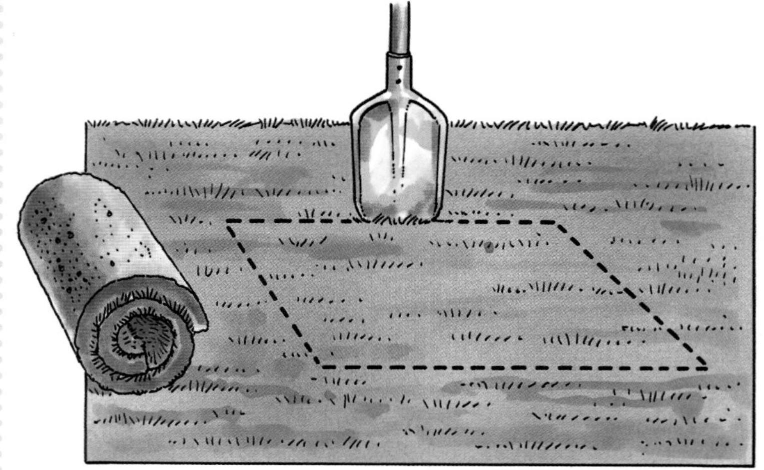

La presencia de pájaros es siempre bienvenida, excepto cuando, tras la siembra, las semillas no han germinado.

La mala preparación del suelo, o la heterogénea distribución del abono, provoca el crecimiento desigual de la hierba.

les emplean estiércol aunque, en este caso, se encontrará con el inconveniente del desagradable olor que desprende.

Tras la operación de abonado no debería utilizar la pradera durante al menos una semana, a lo largo de la cual el riego será diario. Conviene recordar que en praderas de uso eminentemente deportivo, es peligroso el empleo de abono de origen animal o vegetal, puesto que los deportistas a menudo sufren heridas por caída y, el contacto de las mismas con este tipo de abono, puede provocar infecciones. Para evitar tal eventualidad, existen abonos de origen químico que suprimen este riesgo.

¿CUÁL ES EL MEJOR MÉTODO DE SIEGA?

Dependiendo de la problemática que ofrezca la pradera; es decir, cómo sean los márgenes, la cantidad de recovecos que tenga y la extensión de la misma, puede emplear distintos métodos.

Es evidente que la forma más práctica y rápida de segar la pradera es mediante el empleo de una cortadora de césped, que es fácil de manejar y siempre mantiene a la misma altura toda la superficie cortada. No obstante, el inconveniente aparece cuando la pradera presenta elementos de decoración, árboles o paseos en su interior. Para estos casos, existen otros útiles sencillos de manejar, capaces de acceder a zonas difíciles, tales como las cizallas de césped y los cortabordes de hilo.

Las cizallas requieren mayor esfuerzo por parte del jardinero, pero favorecen un mejor acabado. En cuanto a los cortadores de hilo, resultan muy prácticos y están especialmente indicados para emplearlos en lugares de difícil acceso, aunque no es posible controlar totalmente la altura del corte.

En regiones de climatología adversa, al empleo de césped de tipo rústico, se le puede añadir la presencia de árboles de sombra que protejan la pradera.

Los bordes de la pradera crecen de manera desigual.

¿QUÉ FORMA ES MÁS CÓMODA PARA REGAR EL CÉSPED?

Según la extensión de la pradera y clima de la zona, podrá decidir entre varios sistemas. El más económico y común es el riego con manguera, a la cual puede acoplar un aspersor de riego. Esta opción es elegida generalmente para praderas de pequeñas dimensiones, ya que realizarlo no supone una pérdida de tiempo excesiva.

La situación se modifica cuando las dimensiones son mayores, porque la decisión de incorporar al jardín un circuito de riego subterráneo y automático llega, en muchos casos, a ser una necesidad. Evidentemente el precio es más elevado, ya que supone un levantamiento de parte de la pradera y la colocación estratégica de una serie de aspersores de riego, que sólo afloran a la superficie en el momento de regar. Las horas a las que debe regarse, no sólo por el considerable ahorro de agua, sino también por el

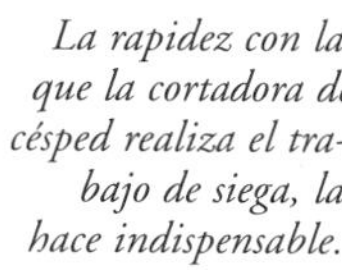

La rapidez con la que la cortadora de césped realiza el trabajo de siega, la hace indispensable.

Para acceder a ellos, tendrá que emplear una cortadora de hilo.

mejor aprovechamiento que hace de ella la planta, son aquellas en las que el sol está más bajo, las primeras horas de la mañana o las últimas de la tarde, o incluso por la noche.

¿QUÉ SOLUCIÓN PUEDO DARLE A UNA PRADERA ENCHARCADA?

Si detecta encharcamiento en una zona concreta de la pradera, y no puede realizar canales de drenaje por la existencia de bordillos o jardineras para setos, no se preocupe porque, si la acumulación no es excesiva, dispone de una solución que le resolverá el problema.

Tendrá que esperar a que la pradera esté libre de cualquier exceso de agua, comprobando si existe depresión, y qué altura le falta para nivelarse con el resto del césped. Realice un corte en forma de cruz en la zona afectada sirviéndose de una pala, y levante a modo de solapa las cuatro porciones que se han formado, descubriendo el suelo. Extraiga la tierra con la pala, dejando un hueco de unos 25 cm de profundidad, y añada una capa de arena o fina grava en el fondo. A continuación ponga una pequeña cantidad de arcilla, cubriéndola seguidamente con compost. Comprobará que las tres capas habrán elevado la altura de la zona afectada, por encima del nivel que anteriormente tenía. Coloque de nuevo las porciones en su sitio y sujete los bordes con alambre, como si fueran grapas, apisonando la zona con rodillo y protegiéndola al menos durante un par de semanas.

Floración

EL AÑO PASADO LOS TAGETES NO DIERON TANTAS FLORES COMO EN OTRAS OCASIONES, ¿CÓMO ES POSIBLE MEJORAR LA FLORACIÓN DE LAS PLANTAS?

Es imprescindible que los ejemplares que va a sembrar o plantar en el jardín sean de calidad y disfruten de buena salud. Si contando con estas características no producen una floración tan abundante y duradera como desea, tendrá que proporcionarles una serie de sencillos cuidados adicionales, que seguro darán su fruto.

Seleccione para plantarlos el lugar más soleado del jardín, sin que la sombra de ningún árbol impida su rápido y vigoroso crecimiento. Labre el suelo convenientemente, eliminando todas las malas hierbas y piedras, y oxigenando la tierra. Es imprescindible que abone el suelo adecuadamente, teniendo en cuenta que no todas las especies requieren el mismo abono ni la misma cantidad. Recuerde que en el mercado existen abonos específicos que favorecen la floración de ciertas especies, como puede ser el caso de los geranios. El riego resulta de vital importancia, sobre todo en el período más caluroso del verano. Realícelo evitando mojar las hojas en las horas de máxima insolación, ya que las diminutas gotas depositadas podrían potenciar los efectos de los rayos solares, actuando a modo de lentes de aumento, llegando incluso a quemarlas.

Algunas plantas, siguen la estrategia de agrupar en densos racimos sus pequeñas flores, consiguiendo una llamativa floración.

Sin lugar a dudas, las flores, con sus colores y aromas, son el principal atractivo de la jardinería.

DESEARÍA TENER FLORES LA MAYOR PARTE DEL AÑO ¿EXISTE UN CALENDARIO ORIENTATIVO DE LA FLORACIÓN?

Contando todas las plantas que tienen relación con el jardín, puede decirse que durante todo el año es posible disfrutar del color y olor de las flores, aunque existe una excepción en regiones donde el clima varía considerablemente con el cambio de estación. En estos lugares, para muchas especies la duración del día es determinante, a fin de que las flores aparezcan, por cuyo motivo, cuando los días comienzan a alargarse, una vez terminado el invierno, es posible ver de forma escalonada como las plantas florecen. Distribuya la plantación de las especies desde el final del invierno hasta el comienzo del otoño.

La mayoría de las plantas que pertenecen a las bulbosas son las primeras en florecer haciéndolo, generalmente, al final del invierno si el clima es caluroso, como sucede con los tulipanes, jacintos, etc., aunque en otras oportunidades puede retrasarse su floración plantándolos más tarde.

Con la entrada de la primavera le siguen gran cantidad de arbustos y árboles, y entre otros las glicinias, los rosales, las mimosas y los lilos.

Cuando la primavera está en todo su apogeo, comienzan a dar flores los pensamientos, las petunias y las celosías, en representación de otras muchas plantas anuales.

Una vez entrado el verano, el gran grupo de las vivaces tiene su turno, como las alquemilas, altramuces, don Diego de noche y malvas reales, manteniéndose algunas todo el período estival.

El clavel del poeta es capaz de desarrollarse adecuadamente tanto en jardinera como en tierra.

ME GUSTARÍA CONSERVAR SECAS ALGUNAS FLORES DE MI JARDÍN. ¿HAY ALGÚN SISTEMA QUE PUEDA RESULTAR SENCILLO?

Dependiendo del uso que quiera dar a las flores secas, dispone de dos sistemas para efectuar el secado. El más común es el empleado en la fabricación de cuadros, donde la finalidad es que queden lo más aplanadas posible.

En tiendas especializadas, encontrará prensas de madera al efecto pero, por su sencillez, existe la posibilidad de que pueda fabricarla si así lo desea. Emplee dos planchas de madera de unos 15 mm de grosor, con una superficie de al menos 20 x 40 cm, unidas en paralelo y por los extremos con dos gruesos tornillos de unos 20 cm de longitud, que cierren con palomillas. Introduzca cada flor entre dos láminas de papel secante, protegidas por un trozo de tela para que no se peguen al papel. Es aconsejable que descubra diariamente la prensa a fin de evitar que la humedad pudra los ejemplares. Si las telas y el papel secante estuviesen muy húmedos, sustitúyalos por otros secos.

Con la mezcla de flores recogidas en el jardín y en el campo, es posible conseguir bellas composiciones de flores secas.

Si por el contrario lo que desea es secar las flores, manteniendo su aspecto natural, los pasos son algo más delicados. Recolecte las flores cuando aún sean jóvenes, de forma que impida la posible pérdida de pétalos. Una vez seleccionados los ejemplares, agrúpelos por especies en ramilletes no muy apretados e introdúzcalos en un jarrón con agua tibia, a la que habrá añadido una pequeña cantidad de glicerina. Transcurridos unos minutos, puede situar boca abajo los ramos y colgarlos en un tendedero, sujetos por el extremo de los tallos. Pasadas unas semanas, las flores estarán perfectamente secas.

El hibisco, de porte arbustivo, posee elegantes flores de cálidos y atractivos colores.

Hojas y raíces

¿? Me gusta la forma que tienen los sauces llorones, pero varias personas me han advertido de los inconvenientes que producen sus raíces, ¿Por qué son tan problemáticos?

Normalmente cuando alguien se decide a plantar en su jardín un sauce, sólo piensa en la belleza de sus ramas colgantes y en el rápido crecimiento que lo caracteriza, pero pocas veces repara en los inconvenientes generados por su insaciable necesidad de agua.

Ha de recordar que estos árboles, en estado silvestre, viven con las raíces dentro del agua y necesitan de ella para sobrevivir. Hasta aquí todo es normal, pero el problema aparece si decide plantarlo en las cercanías de una piscina o justo encima de los conductos del alcantarillado porque, aunque parezca mentira, son capaces de introducirse por cualquier resquicio y solventar obstáculos para conseguir su meta.

Si no quiere comprobar, pasado cierto tiempo, como estos agradables árboles agrietan las paredes de la piscina o taponan las tuberías del desagüe, sin olvidar que en algunos casos las raíces afloran al exterior levantando pavimentos, seleccione cuidadosamente el lugar donde emplazarlos.

Las distintas especies de arce se distinguen por la delicada forma de sus hojas y la variedad de tonos que alcanzan.

¿? Querría adornar unas rocallas con diversos tipos de plantas ¿Es difícil que arraiguen en estas condiciones?

Siempre que la rocalla de su jardín tenga cierta cantidad de tierra entre las grietas, y las plantas que vaya a emplear puedan plantarse convenientemente, no será necesario añadir compost, aunque si lo necesitasen, no dude en fabricar un suelo que permita mantener la planta sujeta y nutrida. Especialmente en este caso, el aporte de abono y agua resulta imprescindible. Recuerde que todas las plantas no tienen el mismo tamaño ni desarrollan por igual todas sus partes. Según sus necesidades, las raíces crecen a distinta velocidad alcanzando diferentes dimensiones.

Hay especies que son capaces de crecer sobre las rocas, debido a que sus raíces pueden vivir literalmente sin suelo y mantener la planta absorbiendo el agua y los pocos nutrientes que esconden las grietas, como ocurre con algunas especies del género Silene sp. (hierba de las piedras). Así mismo, puede optar por el cultivo de plantas crasas si el clima es caluroso, tales como la echeveria, las distintas especies conocidas bajo el nombre de uñas de gato, etc. De igual modo, las plantas anuales están caracterizadas por tener unas raíces que no necesitan mucho espacio donde desarrollarse, ya que con unos pocos centímetros de suelo les resulta suficiente.

Una de las estampas más típicas que podemos encontrar en un estanque, corresponde a las carnosas y redondeadas hojas de los nenúfares.

El otoño es la mejor época para contemplar la gran variedad de tonos que nos ofrecen las hojas.

TENGO UNA PEONIA Y UNA PICEA ENANA QUE COMIENZAN A AMARILLEAR. ¿QUÉ LES SUCEDE?

Cuando una planta comienza a perder el color que la caracteriza, como puede sucederle a los dos ejemplos citados anteriormente, la solución al problema no siempre es la misma. Por una lado ha de saber que la pérdida de color en hojas y tallos normalmente está motivada por la falta de luz o por el agotamiento de los nutrientes del suelo. La falta de luz en el exterior es una situación que rara vez se da, a no ser que en su jardín haya árboles de grandes dimensiones y con follaje realmente denso. La insuficiencia de abono si es más común, máxime porque algunos terrenos son pobres por naturaleza y necesitan un aporte extra de fertilizantes varias veces al año, o bien porque están en una región de abundantes lluvias y se produce lo que vulgarmente se conoce como "el lavado del suelo", en que el agua se lleva diluídos a su paso gran parte de los nutrientes existentes. Esta carencia puede estar afectando a la picea enana, ya que normalmente crece en macetas y su demanda de alimento es elevada.

Respecto a la peonia, si la tierra está recien abonada, el problema puede proceder del tipo de suelo que tenga su jardín, ya que esta especie es de terrenos ácidos, no soportando aquellos otros calizos. Esta misma situación pueden sufrirla especies tales como las camelias o los brezos.

¿TODAS LAS HOJAS SON APTAS PARA RECICLARLAS COMO COMPOST CASERO?

La caída de las hojas al suelo resulta beneficiosa, ya que los nutrientes que poseen se le incorporan y, de este modo, son regenerados de forma continua. En ocasiones, la situación cambia, convirtiéndose en perjudicial. Así ocurre con las hojas de ciertas especies de árboles que, al depositarse sobre la superficie, impiden el crecimiento de cualquier planta que quiera vivir bajo su sombra. Los casos más típicos los representan las coníferas (pinos, abetos, enebros, etc.) y el eucalipto, cuyas hojas están cargadas de sustancias que, tras desprenderse y comenzar su descomposición, acidifican el suelo hasta límites que la mayoría de las plantas son incapaces de soportar, actuando como un mecanismo natural de control de especies competidoras.

En el caso del eucalipto, debido al rápido desarrollo, el problema se ve incrementado por el tremendo uso que hace del agua y los nutrientes, agotándolos literalmente. Si desea plantar uno, hágalo en zonas amplias o con problemas de drenaje, donde no vaya a cultivar otros ejemplares.

Por estos motivos, emplee cualquier tipo de hojas para la fabricación de compost casero, a excepción de las citadas anteriormente.

Con el color de las hojas, es posible realizar composiciones en combinación con plantas de temporada.

Animales del jardín

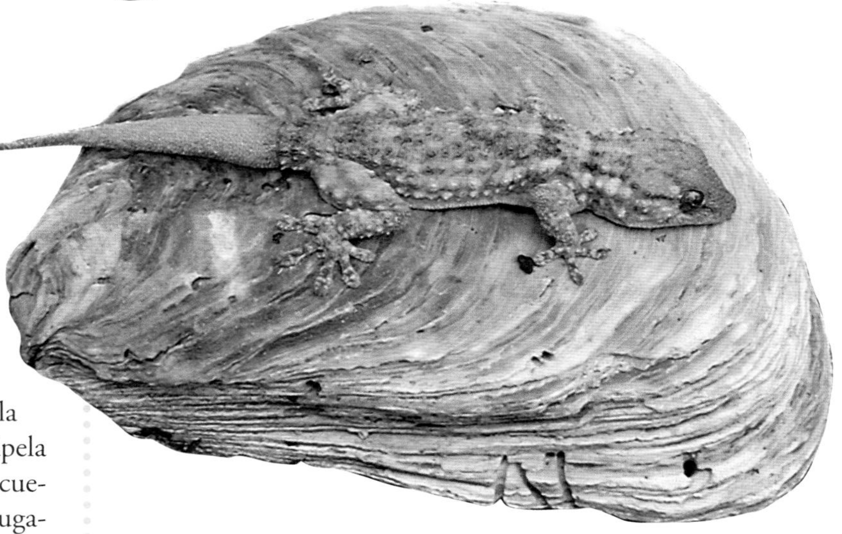

Para acabar con los insectos que en verano se acumulan en las inmediaciones de la casa, no hay nada como la eficaz salamanquesa, inofensiva para el ser humano.

TENGO LA IMPRESIÓN DE QUE DEBE HABER ALGÚN AVISPERO EN LAS CERCANÍAS. ¿CÓMO PUEDO MANTENER ALEJADAS A LAS AVISPAS?

Para alejarlas, sobre todo de piscinas y terrazas, donde normalmente se hace la vida diaria en verano, existe un método casero y muy eficaz. Coja una botella de plástico y córtela en dos mitades dejando siempre que la parte de abajo sea mayor que la de arriba, e introdúzca en la parte inferior algo de carne cruda, una mezcla líquida de miel y agua, o cualquier bebida azucarada. Tápela con la mitad superior invertida, introduciéndola con el cuello de la botella hacia abajo. Colocándola cerca de los lugares donde hay agua permanentemente, o próxima a la zona que más utilice, reducirá su presencia, puesto que con este sistema los insectos, atraidos por el alimento, entran pero no saben salir. Si la molestia es causada por la existencia de avisperos en el jardín, para eliminarlos tendrá que encontrar dónde los han fabricado. Pueden estar en cualquier lugar, aunque principalmente eligen los huecos de los tubos metálicos que se emplean en el vallado, cualquier resquicio que quede en los muros y la vivienda, o entre los espacios dejados por una pila de leña. Una vez localizados, recurra a tapar el agujero de entrada con yeso, o rocíe el panal con gasoleo. El efecto perjudicial que provoca la presencia de avispas, no sólo está limitado al daño que puedan ocasionar en la piel con su picadura, sino que además son unos voraces animalitos capaces de acabar con las peras, los higos o cualquier otro producto hortofrutícola.

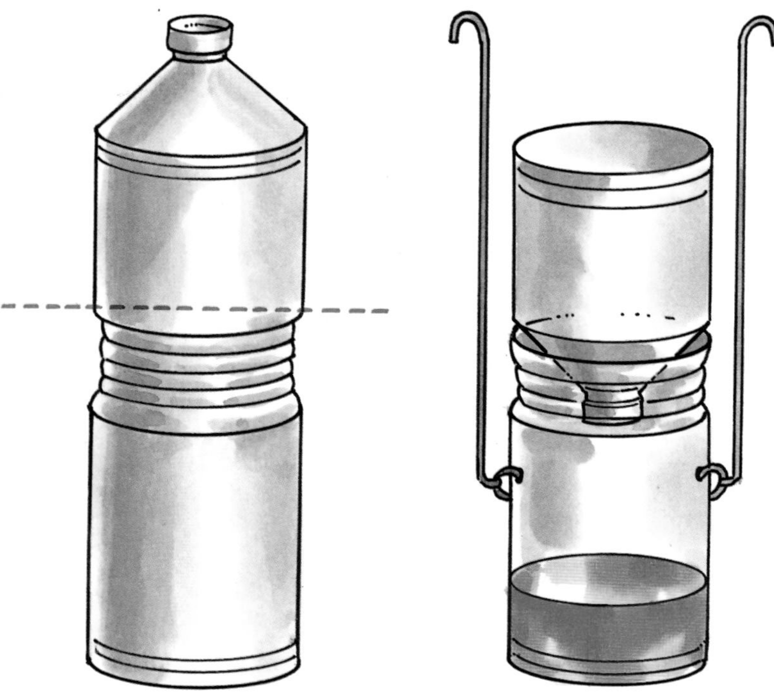

De una manera sencilla, podrá desviar la presencia de avispas y otros insectos voladores de su entorno.

¿HAY ALGÚN SISTEMA PARA EVITAR LA PRESENCIA DE LOS TOPOS?

Si descubre la presencia de un topo en la pradera, no se desespere, ya que existen algunos métodos para prevenir su aparición o ahuyentar su presencia. Generalmente, aparecen cuando la parcela se encuentra en contacto con prados o zonas verdes sin construir. Si no está delimitada por un muro, y sólo una valla metálica separa el campo del jardín, es casi inevitable que los topos puedan resistirse al mullido suelo de una pradera de césped.

Un método seguro consiste en interceptar el paso hasta la pradera, enterrando un bordillo de piedra o cemento a una profundidad de unos 50 cm a lo largo de todo el terreno. Si los topos ya están dentro de la pradera, tendrá que desalojarlos, depositando en cada agujero en comunicación con el exterior una bolita de alcanfor, e introduciéndola por medio de la presión del agua de la manguera hasta que rebose. El efecto combinado servirá, sin duda, para ahuyentarlos.

¿TODOS LOS INSECTOS SON PERJUDICIALES?

En general, todos los insectos que no atacan agresivamente a la planta son incluso beneficiosos, puesto que pueden

Las mascotas resultan de grata compañía, pero presentan el inconveniente de disfrutar intensamente del jardín.

Los pájaros son un peligro para cualquier tipo de frutal pero, sin embargo, su presencia resulta muy relajante.

aprovechar alguna parte de ella como alimento, pero en ningún caso son capaces de dañarla.

Cabe destacar aquellos insectos que, al recoger el polen o el néctar de las flores, las polinizan, tales como abejas, escarabajos y mariposas, así como los que las emplean a modo de soporte para proteger la puesta de huevos, como ocurre con las mariposas y las arañas, no causando, éstas últimas, ningún daño al construir las telas de seda que sirven para capturar a las molestas moscas y mosquitos.

¿ES COMPATIBLE EL JARDÍN CON ANIMALES DE COMPAÑÍA, COMO POR EJEMPLO UN PERRO?

La presencia de perros en el interior del jardín puede dar malos resultados si no se tiene cuidado. Estos animales de compañía son juguetones, incansables corredores y, a veces, escarban el suelo de las jardineras para esconder los alimentos. La solución no pasa por elegir entre uno y otro, sino que puede tomar una serie de precauciones para no tener que regañarles continuamente. La protección de las jardineras con una elegante valla metálica, o la utilización de unas semillas de césped resistentes pueden, con ayuda de buenos modales enseñados al perro, mantener un buen clima de convivencia.

TENGO VARIOS FRUTALES EN EL JARDÍN. ¿QUÉ PUEDO HACER PARA QUE LOS PÁJAROS NO COMAN LA FRUTA?

Los pájaros, dependiendo de la situación, pueden ser bienvenidos o no. Son especialmente mal recibidos cuando los frutales están cargados de fruta madura, porque no dudan en aprovechar la oportunidad de disfrutar de su dulce sabor. Otro momento en el que no tienen gran acogida es al realizar la siembra del césped, ya que las semillas no terminan de quedar enterradas y están a su disposición en grandes cantidades, lo que supone una forma muy sencilla de conseguir alimento.

Para espantar a los pájaros, utilice tiras de plástico brillantes o trozos de tela de colores, colocándolos en lugares elevados y visibles para que, con el efecto de la brisa, se muevan, provocando su huida. No obstante, en el lado positivo está el servicio que ofrecen al jardinero, eliminando los insectos y pequeños bichos que atacan a las plantas, o agradándole el oido con sus dulces trinos.

Son varias las especies de insectos, como por ejemplo las mariposas, que no perjudican el jardín.

Plantas condimentarias

ME GUSTARÍA TENER EN MI JARDÍN PEREJIL Y HIERBABUENA, ¿DÓNDE CRECERÁN MEJOR ESTE TIPO DE PLANTAS?

Ha de efectuar la plantación en lugares donde no falte el sol y exista buena protección contra el viento y el frío. Si dispone de una porción de terreno cercana a la fachada de la casa, o algún rincón orientado al sur, acondiciónelo, protegiendo los bordes con rocas o cualquier tipo de material de separación, con el fin de evitar que las mascotas puedan acercarse hasta las plantas o que el juego de los niños llegue a producirles algún daño.

Tenga presente que algunas especies condimentarias son muy vulnerables a las heladas o a períodos prolongados de insolación. Para contrarrestar el efecto de estas condiciones ambientales, puede situar estratégicamente en las proximidades algún arbusto que las proteja.

Otra posible alternativa es la de emplear jardineras independientes para cada planta condimentaria, lo que le permitirá cultivarlas en zonas de la casa que no están en contacto con el jardín, como pueden ser los alféizares de las ventanas, patios y balcones. Mediante este sistema, controlará de una manera más sencilla su desarrollo, reduciendo, al mismo tiempo, las posibilidades de ataque de las plagas del jardín.

Las hojas de laurel dan un agradable sabor a multitud de platos.

¿NECESITAN ALGÚN CUIDADO ESPECIAL LAS PLANTAS CONDIMENTARIAS?

Los requerimientos de estas plantas son los mismos que los del resto de especies vegetales, pero ha de tener en cuenta una serie de detalles que servirán para mejorar su rendimiento y calidad. Aunque han de establecerse determinadas diferenciaciones, el riego contribuye a mantener vigorosas, frescas y bien hidratadas todas las partes de la planta. Los terrenos han de estar siempre empapados para plantas de ribera, como pueden ser la albahaca, el poleo o la hierbabuena, húmedos para el orégano y el perejil, y más bien secos para el tomillo, el romero y el espliego.

Respecto al suelo y el abono, es preciso que la tierra esté libre de piedras, bien aireada, y contenga una composición equilibrada en nutrientes. En algunos casos será necesario que añada abono, aconsejándole que no utilice productos químicos, dado el uso culinario que, en general, se hará de ellas. El estiércol de origen bovino es el que mejor calidad ofrece, aunque si no puede disponer de él, emplee mantillo en pequeñas cantidades o

Un macizo con hierbabuena, además de una reserva para la despensa, representa un aromático elemento del jardín.

Para conservar adecuadamente las especias cultivadas en el jardín, necesitará frascos de cristal.

compost de origen vegetal. En las siguientes ocasiones, bastará con añadir anualmente sobre la superficie ,una fina capa de los mismos materiales de abono que, a través del riego, irán mezclándose paulatinamente con el resto de la tierra.

¿CUÁL ES LA FORMA MÁS CONVENIENTE DE RECOLECTAR Y ALMACENAR LAS ESPECIAS PRODUCIDAS EN EL JARDÍN?

Para recolectar especias, hay que distinguir qué parte de la planta es la aprovechada. En la mayoría de los casos, las hojas son las que se emplean como condimento, pero en otros muchos, son las flores las que mejores cualidades aportan a la cocina. La recolección de éstas últimas, sólo puede llevarse a cabo cuando estén a punto, normalmente a mediados o finales de verano. Coseche la mayor cantidad de flores posible, ya que puede proceder a su conserva para el resto del año.

Déjelas secar totalmente y, una vez acabado este proceso, desmenuce los capullos con los dedos para eliminar los tallos. Almacénelas en recipientes estancos, como pueden ser los tarros de cristal con junta de goma y cierre hermético, que ayudarán a mantener el aroma en las mejores condiciones.

El perejil es una de las plantas condimentarias indispensable para cultivar tanto en jardinera como en exterior.

Las bolsitas de papel o las cestas de mimbre no dan los mismos resultados.

En el caso de las plantas de hoja, la época de recolección se extiende a casi todo el año, evitando siempre hacerlo cuando la planta está en flor, momento en que las hojas y tallos no ofrecen las mejores cualidades. Puede suprimir o atrasar la floración podando los tallos florales siempre que aparezcan, aunque es aconsejable que la planta los desarrolle de vez en cuando para asegurar la producción de semillas. Tiene la posibilidad de recolectarlas aisladas o con parte del tallo que las sustenta, dejándolas secar totalmente y almacenándolas en recipientes de cristal. No olvide etiquetar los tarros para facilitar su identificación, poniendo la fecha y el tipo de planta.

Este tipo de plantas no necesita demasiado espacio para desarrollarse convenientemente.

Especias condimentarias más conocidas

Nombre latino	Nombre	Parte útil	Requerimientos
Allium sativum	Ajo	Bulbos y tallos	Riegos frecuentes y sol, suelo con cierta profundidad.
Laurus nobilis	Laurel	Hojas y ramas	No es exigente, fresco.
Lavandula officinalis	Espliego	Flor	No es exigente, sol.
Mentha piperita	Hierbabuena	Hojas	Humedad intermedia y sombra.
Mentha pulegium	Poleo	Flores y hojas	Mucha humedad y fresco.
Ocimum basilicum	Albahaca	Tallos y hojas	Humedad intermedia y sol.
Origanum vulgare	Orégano	Flores	Algo de agua y mucho sol.
Petroselinum sativum	Perejil	Tallos y hojas	Mucha humedad y sombra.
Rosmarinus officinalis	Romero	Hojas	No es exigente, sol.
Thymus vulgaris	Tomillo	Flores y hojas	No es nada exigente, sol.

Paseos floridos y mezclas de color

¿CON QUÉ TIPO DE PLANTAS PODRÍA CUBRIR UN PASEO?

Para dar color a un paseo, puede combinar varios grupos de plantas distintas, valiéndose del tipo de desarrollo y crecimiento que tienen, cultivándolas junto a una estructura metálica continúa, en forma de tunel.

Las trepadoras o sarmentosas resultan especialmente indicadas para cubrir la parte alta de los laterales y el techo. Las especies que mejores resultados dan son, por ejemplo, los rosales trepadores (siempre y cuando elija aquellas variedades que producen gran cantidad de rosas), así como las enredaderas que dan vistosas y olorosas flores, entre las que se encuentran la madreselva, la glicinia, el codeso o los jazmines.

Entre las especies que son útiles para cubrir la parte baja de estos paseos, dispone de gran variedad de opciones. Hay quien decide cultivar más plantas con flor, como podrían ser el membrillero del Japón, adelfas, lavandas o distintas especies de brezo, o quien prefiere plantar una franja de arbustos de hoja, como el boj, la aralia del Japón o alguna especie de enebro o sabina rastrera.

¿PUEDO FAVORECER LA RÁPIDA DISTRIBUCIÓN DE LAS RAMAS A LO LARGO DEL PASEO?

Antes de comenzar a plantar los ejemplares, es conveniente tener preparadas con anterioridad una serie de guías por donde puedan escalar las ramas trepadoras. Agrupe varios pies en cada uno de los pilares del paseo, dejando que crezcan sólo las ramas principales, podando las secundarias y las que nacen en la parte más baja, hasta que lleguen a reunirse con las ramas del lado contrario en la parte superior. A partir de ese momento, favorezca el crecimiento lateral de las ramas secundarias, guiándolas a través de cordeles o alambres.

La utilización de alambre y cordeles es indispensable para que los paseos floridos puedan cubrirse con rapidez y eficacia. Procure podar o, si es posible, reconducir las ramas que crezcan fuera de los límites establecidos.

La aromática madreselva, debido a su rápido crecimiento, es una de las trepadoras más utilizadas para cubrir paseos.

Una vez que los tallos principales y secundarios han crecido distribuyéndose en las direcciones adecuadas, puede plantar los arbustos o matorrales que cubrirán los laterales. Elija las especies en función del tamaño y el espacio de que disponen.

¿NECESITO PODARLAS DE ALGUNA MANERA ESPECIAL?

En un primer momento necesitan la poda para poder dirigir la dirección de crecimiento y favorecer el vigor y tamaño de las ramas principales. Una vez que el paseo está cubierto por completo, puede ocurrir que las ramas que crecen en su interior y quedan tapadas por otras, lleguen a secarse y acumularse, empeorando el aspecto del paseo. Para evitar esta situación, deberá podar las ramas que crecen fuera de la malla de sujeción, intentando que el espesor del follaje sea constante y no muy grueso.

Si quiere contemplar las flores en el interior del paseo, ha de tener en consideración que si no entra nada de sol por la desmesurada acumulación de hojas, éstas quedarán relegadas a la zona externa, perdiendo gran parte de su atractivo. La manera de favorecer la presencia de flores en la parte interior, es dejando que los brotes sólo estén en la cara interna, para lo que tendrá que podar los externos antes de que se desarrollen demasiado.

Tengo glicinias que ofrecen un alegre tono azul, pero la floración sólo dura unos días, ¿Es posible mantener florido el paseo durante toda la primavera?

Entre las plantas trepadoras con flores llamativas, cabe destacar la gran variedad que ofrecen en la época de floración. Es habitual encontrar los paseos adornados con una sola clase de plantas, lo que les dota de un color uniforme pero durante un corto período de tiempo. Para prolongar la presencia de floración, existe la posibilidad de mantener durante casi toda la época de formación, es decir la primavera y parte del verano, el paseo lleno de flores.

Las primeras flores en aparecer al principio de la primavera, aunque se marchitan rápidamente, son los azulados racimos de la glicinia, llenando de colorido todos sus tallos.

Seguidamente comienza la floración de los rosales, más duradera y continuada, manteniéndose hasta el final de la primavera y principio del verano.

Solapando la floración con la del rosal, aunque algo más tardía, tenemos la del codeso, conocido también como lluvia de oro por los largos y amarillos racimos que produce.

Por último están la madreselva y los jazmines. En el primer caso, puede retrasar la floración hasta el final de la primavera si poda sus ramas justo antes de que florezcan, lo que le permitirá disfrutar de su agradable aroma durante gran parte del verano. Algunos jazmines tienen la peculiaridad de florecer en pleno verano, como ocurre con el jazmín denominado de verano, o en invierno, la especie conocida por jazmín de invierno, de la cual puede disfrutar si el clima de la zona es caluroso y suave.

Los robustos tallos de la glicinia, contrastan con las frágiles y cálidas flores que aparecen al principio de la primavera.

La posibilidad de emplear especies de hoja caduca, facilita el paso del sol en la estación invernal.

¿Puedo realizar mezclas de color con cualquier especie?

En principio, podría pensar que es posible realizar mezclas de color con cualquier tipo de planta decorativa pero, si se detiene y piensa en los requerimientos y necesidades que tiene cada especie, llegará a la conclusión de que, para poder conseguir un buen resultado, las plantas que van a ser cultivadas

Para conseguir una equilibrada mezcla de color, no olvide diseñar previamente la distribución de las plantas.

Es necesario dirigir el crecimiento de las enredaderas con el fin de evitar su desprendimiento.

en el mismo lugar necesariamente deben poseer cualidades idénticas, o al menos muy semejantes. Esta precaución se toma exclusivamente para que coincidan las épocas de floración, y pueda contemplarse el resultado durante un período de tiempo lo más amplio posible.

Por otro lado, si emplea una mezcla de plantas anuales con plantas perennes, entonces no tendrá ningún problema ya que, conociendo el momento de floración de la planta perenne, sólo tendrá que ajustar la siembra o trasplante de las de temporada.

POR COLORIDO, ME GUSTARÍA INTERCALAR EN ALGUNAS ZONAS FLORIDAS TONOS VERDES. ¿PUEDO EMPLEAR OTRO TIPO DE PLANTAS CON LUSTROSAS HOJAS VERDES?

Sin lugar a dudas, el empleo del color verde en las composiciones de color, hace resaltar aún más la belleza de las flores, por lo que obtendrá un resultado muy atractivo.

Intente probar con unas pequeñas matas de boj que rodeen las plantas de temporada, o utilice el altramuz para decorar los bordes de una rocalla, ya que la bonita forma de sus hojas verdes ofrece un bello contraste a sus peculiares flores. El empleo de matas de sabina o enebro rastrero, que combinan acertadamente con un grupo de lirios o gladiolos en flor, supone otra original posibilidad.

EL AÑO PASADO NO LOGRÉ DARLE AL JARDÍN EL ASPECTO QUE HABÍA PENSADO, ¿CÓMO PUEDO ASEGURAR UN BUEN RESULTADO FINAL?

Antes de comenzar a plantar las flores o los bulbos que al cabo de unas semanas llenarán de color el jardín, hay que planificar su distribución y, sobre todo, cómo mezclarlas para conseguir un buen resultado.

El primer paso es dibujar sobre papel un plano de la zona del jardín seleccionada y, sobre éste, trazar un croquis, con líneas y dibujos que posteriormente serán sustituídas en la realidad por las plantas escogidas. Emplee lápices de colores e intente mantener una escala, por ejemplo, que cada 5 cm en el papel correspondan a 100 cm en el terreno. Anote en el margen del dibujo qué significa cada figura y color,o a qué planta representa. Una vez concluido y comprobadas las distancias en la realidad, marque el suelo con simples líneas hechas con una azadilla, o señalando el terreno con cuerdas. Prepare el terreno para el trasplante e instale las plantas en su lugar definitivo.

Existen especies, como es el caso de la petunia, que, gracias a la numerosa variedad de tonos de sus flores, permiten realizar distintas composiciones de color.

TRUCOS Y TÉCNICAS DE JARDINERIA

Preguntas y Respuestas

Introducción

TRAS LA EXPERIENCIA ALIMENTADA DURANTE TODOS ESTOS AÑOS, DEDICADOS AL CONOCIMIENTO PRÁCTICO DE LA JARDINERÍA, SE HA creído conveniente plasmar en estas páginas las interrogantes más comunes formuladas por aficionados y amantes de las plantas de exterior, con objeto de solventar las posibles dudas planteadas sobre el terreno.

Por tal motivo, aparece *ABC de la Jardinería,* obra estructurada en base a las preguntas y respuestas suscitadas sobre un determinado tema planteado. Esta solución de formato agiliza, sin duda, los contenidos, al tiempo que le otorga un matiz eminentemente práctico y de consulta obligada. A su vez, las materias elegidas pretenden cubrir el entorno más general de las plantas propias del jardín, dándole una visión completa del mismo, que le facilitará la selección de ejemplares y sus cuidados.

El libro engloba las dudas referentes tanto a las especies más empleadas en jardinería, como a aquellas otras que, por sus características singulares, pueden ser cultivadas aún estando fuera de su región y clima óptimo de desarrollo.

Tienen también especial mención los problemas que, de manera específica, plantean algunas especies, debido a sus peculiaridades de cultivo, así como el modo de planificar su jardín, siempre tomando como punto de referencia el grupo de plantas al que pertenece.

Esperamos y deseamos que a través de la lectura de este libro pueda crear usted mismo un jardín digno de admiración, no sólo por la singularidad del mismo, sino también por la belleza y salud de sus plantas.

Herramientas y utensilios

HE DADO UN GOLPE A LA CUCHILLA DEL CORTACÉSPED. ¿PUEDO SEGUIR UTILIZÁNDOLA?

Cuando maneje una máquina de cortar el césped, ha de seguir en todo momento los consejos y medidas de seguridad que marca el fabricante, pues la presencia de un elemento cortante, como es la cuchilla, así lo requiere. Si no pone el suficiente cuidado a la hora de cortar el césped y no se percata de la presencia de alguna piedra en la pradera, existe la posibilidad de que pueda romper la cuchilla e incluso, en algunos modelos antiguos dotados de insuficiente protección, salir despedida, con el consiguiente riesgo para las personas. Así mismo, si en el momento de guardar la cortadora la golpea contra algún escalón, puede estropear su filo, lo que traería consecuencias no muy beneficiosas para el aspecto y la salud de su pradera. Una cuchilla sin afilar o con el filo estropeado, no sólo es incapaz de cortar la hierba de forma adecuada, sino que literalmente la machaca. Las puntas, al estar irregularmente cortadas, llegan a secarse y el césped comienza a sufrir un evidente deterioro, pasando de su habitual verdor a ofrecer un aspecto parduzco y poco atractivo, repercutiendo así negativamente en la calidad y cantidad de hierba de la pradera. Recuerde que es imprescindible que la cuchilla esté en buenas condiciones, y si sufre algún desperfecto, debe subsanarlo lo más rápidamente posible, bien reparándolo o, si no fuese posible, sustituyendo la pieza estropeada por otra en buenas condiciones.

La podadora cortasetos, de gran eficacia, debe ser manejada con cuidado para no estropear el filo de las cuchillas.

CON TANTAS LLUVIAS LA AZADILLA Y EL TRASPLANTADOR PARECEN OXIDADOS. ¿CÓMO ES POSIBLE CONSERVAR EN BUENAS CONDICIONES LAS HERRAMIENTAS Y LA MAQUINARIA DE JARDINERÍA?

Para que los útiles de jardinería puedan servirle muchos años, no es necesario que los trate con excesivo cuidado; bastará con darles un repaso de limpieza después de haberlos utilizado. Por ejemplo, una vez haya finalizado el trabajo con la azadilla, límpiela de tierra con un poco de agua y, cuando haya secado, empape toda la superficie metálica con un trozo de tela impregnado de aceite para evitar la oxidación.

En el caso de maquinaría con tracción por gasolina, retire los restos de hojas o hierba que puedan quedar adheridos a las cuchillas o carcasa, como sucede con las máquinas cortacésped (hágalo nada más terminar puesto que, luego al secarse, estos restos quedan fuertemente pegados, resultando difícil su extracción). Del mismo modo, engrase las proximidades de todas las partes con rodamientos o ejes de giro, tales como los ejes de las ruedas y de la cuchilla, o la propia cadena de transmisión, y revise los niveles de aceite y gasolina del motor. Siga en todo momento las condiciones de mantenimiento marcadas por el fabricante.

¿CUÁL ES LA FUNCIÓN DEL ESCARIFICADOR Y CÓMO PUEDO EMPLEARLO CORRECTAMENTE?

Este utensilio es empleado con el fin de eliminar las partes muertas que se acumulan en la parte baja de la pradera. Sus

Es necesario engrasar y limpiar todas las partes del motor y maquinaria del cortacésped.

tres púas, en forma de gancho, son capaces de rasgar las hojas secas y extraerlas, lo que permite que a las plantas vivas les llegue más cantidad de luz, aumenten su nivel de aireación, y crezcan con mayor vigor. Tenga cuidado al realizar esta operación, no empleando demasiada fuerza, ya que podría dañar las raíces o incluso arrancar alguna planta. Los mejores resultados se obtienen utilizando el escarificador en varias direcciones, procurando cubrir la mayor superficie posible. Una vez haya terminado, repase toda la pradera con un rastrillo, eliminando los restos extraídos.

Con el fin de retirar las partes muertas que se acumulan en el suelo de la pradera, el empleo del escarificador es de gran ayuda. Una vez terminada la labor, necesitará un rastrillo para recoger los restos.

Existen máquinas cortacésped de todos los tamaños y formas. Algunas vienen preparadas para cortar los bordes de la pradera.

¿POR QUÉ SE INTRODUCEN LAS HERRAMIENTAS CON MANGO DE MADERA EN AGUA ANTES DE SER UTILIZADAS?

No en todos los casos los mangos de madera vienen junto con la herramienta. Así pues, las palas, azadas o rastrillos, entre otros utensilios, pueden comprarse por separado, eligiendo el mango que más se adapte a su estatura o habilidad.

Cuando adquiera un mango para una determinada herramienta, antes de comenzar a utilizarla, emsamble ambas partes con pequeños golpes y, acto seguido, introdúzcala en agua. Esta operación se realiza porque, algunas veces, la madera y el metal no llegan a quedar del todo ajustados, y el jardinero corre peli-

La manguera es uno de los útiles indispensables en todo jardín. Con ella es posible llegar a cualquier rincón del mismo.

El empleo de guantes en jardinería supone la forma más cómoda de preservar la piel.

gro de hacerse daño si la herramienta sale despedida. La madera tiene la propiedad de dilatarse al ser mojada, lo que hace que las dos piezas queden fuertemente sujetas entre sí.

¿QUÉ TIPO DE UTENSILIOS NECESITO PARA REALIZAR UN INJERTO?

Antes de comenzar, es imprescindible que tenga a mano todo lo necesario para llevar a cabo el injerto. En primer lugar está, inevitablemente, el propio injerto, que habrá obtenido con anterioridad de otro ejemplar de su jardín, o comprado en una tienda especializada. A continuación, necesita unas buenas tijeras de poda, de hoja corta y bien afiladas, varios tipos de cuchillas de distintos tamaños (puede emplear cuchillas de afeitar, muy útiles en los cortes de la corteza), un cutter o cuchilla regulable en longitud, una navaja convencional acabada en punta, varios trozos de cartón o caucho de 7 ó 10 mm de grosor, un poco de barro y, finalmente, unas tiras de rafia o cuerda para sujetar los tallos injertados.

Cuando haya realizado varios injertos, podrá seleccionar aquellos útiles con los que mejor se maneje, despreciando otros que por su tamaño o características no terminen de encajar en su forma de trabajo.

Los tipos de pala han de seleccionarse en función del trabajo que vaya a desempeñar.

¿CÓMO RESULTA MÁS SENCILLO ACARREAR LAS HOJAS SECAS RECOGIDAS EN OTOÑO?

Aparte de la consabida utilización, mas o menos experta, de la pala y el rastrillo, existe un método práctico y de fácil empleo para retirar la acumulación de hojas secas.

Consiga un par tablas de contrachapado cuadradas o rectangulares, cuyas dimensiones tengan aproximadamente unos 30 ó 40 cm de alto por unos 40 ó 50 cm de ancho. Empleando las dos tablas una en cada mano y utilizándolas a modo de pinza comprobará con que facilidad pueden recogerse las hojas o las briznas de hierba que han quedado sobre el césped, sin tener que emplear demasiado tiempo ni esfuerzo. Sitúe una carretilla o un saco cerca a fin de evitar que en el transporte se esparzan más de lo debido.

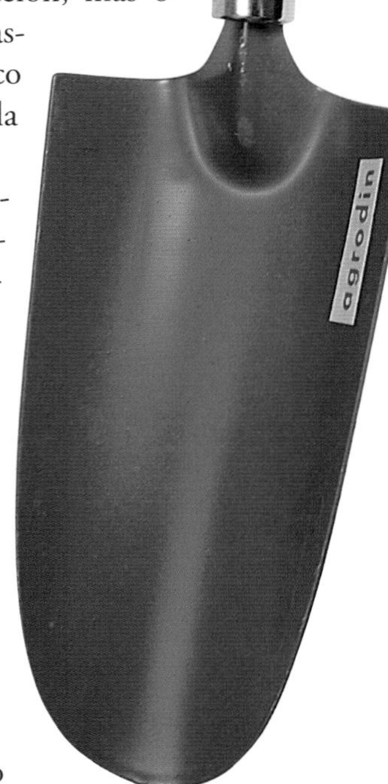

Mediante el uso del plantador, realizará distintas labores de manera sencilla.

¿CÓMO PUEDO ALMACENAR LA BOMBA DE AGUA DEL ESTANQUE PARA EVITAR QUE EL HIELO LA ESTROPEE?

Con el invierno llegan las heladas, lo que puede perjudicar los conductos internos del motor. Esta situación viene originada al congelarse el agua que todavía permanece en su interior, creando una determinada dilatación, y pudiendo llegar a agrietar los materiales que lo componen (en su mayoría fabricados en plástico). Por tal motivo, saque la bomba del agua y límpiela a fondo. Elimine los restos de algas cepillando la superficie, o introduciéndola en líquido antialgas y

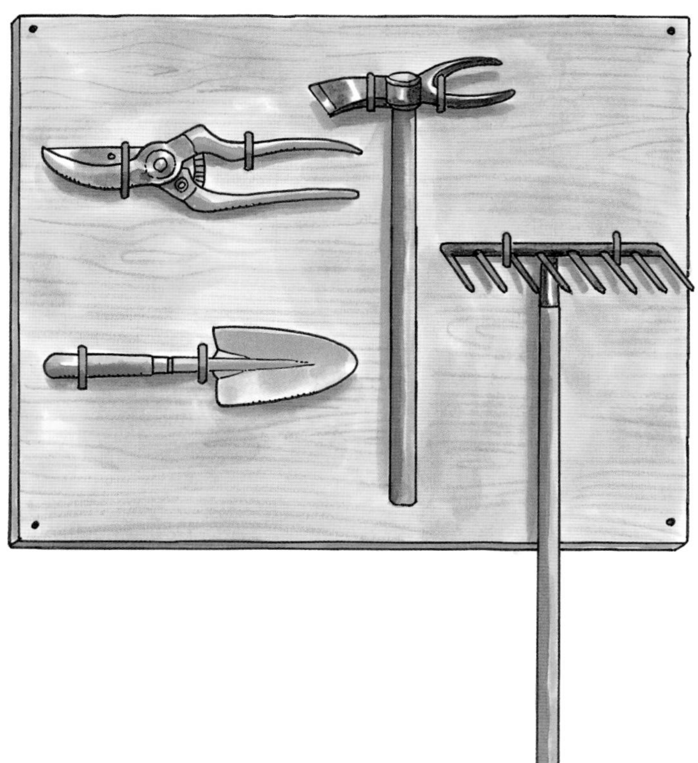

Es conveniente dibujar la silueta de cada herramienta en el lugar donde quedará ubicada.

Las tijeras de poda resultan indispensables en cualquier jardín.

extraiga el filtro, retirando todos los residuos que se hayan acumulado. Finalmente, espere a que esté completamente seca y cúbrala con una tela, protegiéndola con papel de periódico dentro de una caja.

TENGO TAL DESORDEN QUE NO ENCUENTRO EL DESPLANTADOR, ¿CÓMO DEBO GUARDAR LOS UTENSILIOS PARA EVITAR SU PÉRDIDA?

Si dispone de un espacio en la pared del garaje, un pequeño cobertizo en el jardín, o un apartado en el invernadero, puede agrupar todas las herramientas juntas, a la vista y además bien ordenadas. Sólo tendrá que hacerse con un tablero de madera conglomerada con unas dimensiones de, aproximadamente, 1,5 m de ancho x 2 m de alto y sujetarlo fuertemente a la pared por sus cuatro esquinas, donde situará ordenadamente todos los útiles de jardinería.

El modo de hacerlo es muy sencillo; coloque cada herramienta sobre el tablero y dibuje su silueta con un rotulador de punta gruesa, coloreando el interior. Tenga presente que todas las herramientas van a ir colgadas, por lo que deberá ajustar los espacios correctamente.

En el caso de los utensilios con mango, éste tendrá que ir colocado hacia abajo. Intente ubicar las herramientas más pesadas en la parte más baja del tablero, y las ligeras en la alta. Para conseguir la sujeción de las herramientas, utilice escarpias, atornillándolas al tablero (normalmente, dos por cada pieza) en posición estratégica. Con objeto de que no puedan caerse ciertas herramientas más delicadas, una vez que estén situadas, ponga una goma de papelería uniendo ambas escarpias. Siguiendo este práctico sistema, podrá despreocuparse de dónde puso el desplantador.

Una navaja afilada sirve de gran ayuda en las diferentes labores de poda.

Herramientas indispensables en jardinería

Herramienta	Utilidad
Alambres y cuerdas	Sujetar tallos y ramas.
Azada y azadilla	Cavar y escardar.
Carretilla	Transportar los utensilios, tierra y abono.
Cortadora de césped	Mantener la pradera con un aspecto inmejorable.
Desplantador	Extraer las malas hierbas de raíz larga.
Escarificador	Retirar los restos secos que se acumulan en la pradera.
Macetas y tiestos	Servir de recipientes para las plantas.
Manguera, regadera y aspersores	Regar cualquier parte del jardín.
Pala	Distribuir tierra y abono.
Plantador de bulbos	Realizar agujeros en la pradera o el jardín.
Plásticos y sacos de tela	Cubrir plantas jóvenes o transportar distintos elementos de jardinería.
Rastrillos	Eliminar las hojas secas, el césped cortado o tareas de siembra.
Tijeras de podar	Cortar ramas, hierba y tallos.
Trasplantador	Realizar los cambios de tiesto, o plantar nuevos ejemplares.
Tutores y paneles decorativos	Favorecer el crecimiento de plantas trepadoras y ramas pesadas.

Terrazas, balcones y porches

QUIERO PONER PLANTAS DE TEMPORADA EN EL PORCHE, ¿CÓMO PUEDO PREPARAR UNA JARDINERA PARA LA TERRAZA?

Si es aficionado al cultivo de plantas, no tendrá ningún problema en conseguir su propósito. Una vez haya elegido el tipo de jardinera que más le atraiga, necesitará unos fragmentos de teja o ladrillo, un saco de compost para plantas de interior, una pequeña cantidad de arena de río y, si puede adquirirlo, otro poco de arcilla. En cuanto a utensilios, con un trasplantador, una regadera y sus propias manos, será suficiente. Comience poniendo los trozos de teja sobre los agujeros de drenaje, con lo que evitará que la tierra tapone los mismos. A continuación, cubra el fondo con una fina capa de arena para, posteriormente, rellenar hasta la mitad con una mezcla fabricada con tres partes de compost y una de arcilla. Si no dispone de arcilla, no se preocupe; mejora la calidad del suelo pero tampoco es imprescindible. La parte que queda sin llenar debe ser ocupada por las plantas. Añada el compost cubriendo todo, de forma que la superficie de la tierra quede uniforme, y a una cierta distancia (bastará con 1 cm) del borde de la jardinera. Asegúrese de no formar bolsas de aire entre los cepellones de las plantas y el compost, presionando la tierra con los dedos alrededor de éstas, y riegue hasta comprobar que el agua sale por los agujeros de drenaje.

Unos de los materiales que mejor lucen sobre las paredes de terrazas y balcones, son la cerámica y el barro cocido.

¿HAY ALGÚN SISTEMA PARA QUE EL AGUA DE RIEGO NO SE DERRAME?

En algunos casos, la posición de la terraza, situada hacia la calle, o los materiales en los que está fabricada, como por ejemplo la piedra, permiten que el agua de riego pueda derramarse, no importando demasiado que todo quede mojado. En otras ocasiones, en cambio, para evitar que el agua llegue al interior de la vivienda o manche las paredes de la fachada, es necesario prevenir su derrame. En este caso, todas las macetas, jardineras y demás recipientes que ocupen la terraza, tendrán que estar protegidas en su base con bandejas de recogida del agua drenada. Realice el riego con regadera o, en su defecto, con una jarra o botella, controlando en todo momento la cantidad de agua suministrada, para que en ningún caso llegue a derramarse. Otro método muy limpio y eficaz, es el de regar introduciendo las macetas, hasta la mitad, en un recipiente ancho con agua, lo que permite que la tierra absorba sólo el agua necesaria.

Si tiene tiestos y jardineras colgantes que no disponen de bandeja, coloque un receptáculo improvisado debajo del agujero de drenaje cuando riegue, hasta que deje de caer agua.

Otra solución muy práctica consiste en colocar varias macetas a distintas alturas, situando una hilera de jardineras al pie de la pared, para que puedan recoger el agua que gotea.

¿CÓMO DEBO SUJETAR LAS MACETAS A LA BARANDILLA DEL BALCÓN, PARA QUE QUEDEN SEGURAS?

Si quiere que su balcón quede adornado por completo con flores y todo tipo de plantas colgantes, y no dispone de una jardinera prefabricada sobre el mismo, no tiene por qué preocuparse; existen soportes y portamacetas metálicos preparados para encajar en la barandilla o en la balconera. Procure, eso si, que el peso que vayan a soportar no sea excesivo; para ello, es conveniente que utilice jardineras de material plástico. Cuando desee decorar su balcón con jardineras, por espacios de tiempos prolongados, empleando materiales de mayor calidad y más pesados, como por ejemplo, tierra cocida, piedra reconstruída, granito, etc., tendrá que recurrir a algún cerrajero que le fabrique los soportes a medida.

Tanto en un caso como en otro, y para mantener las suficientes garantías de seguridad, sitúe los soportes del lado del interior del balcón, confirmando previamente a través del constructor de la vivienda la resistencia al peso de las estructuras.

Las escaleras siempre ofrecen la posibilidad de ser decoradas con distintos tipos de macetas y plantas.

¿QUÉ TIPO DE RECIPIENTES CONVIENE COLOCAR PARA QUE RESULTEN ATRACTIVOS, SIN PERDER SU FUNCIONALIDAD?

Existen gran variedad de materiales, formas y colores, motivo por el que interviene el gusto y criterio personal pero, no obstante, conviene sopesar algunos datos para elegir con mayor comodidad. Antes de decidirse, ha de tener presente qué tipo de construcción va a decorar. No es lo mismo una fachada de piedra de musgo, que otra fabricada con pizarra, en la que las vigas son de madera. Puede optar por un entorno homogéneo, empleando siempre el mismo tipo de materiales, o mezclar varios, aunque es preferible que siga un criterio más o menos uniforme, para no caer en el desorden.

Por ejemplo, para fachadas rústicas, los recipientes de madera, de tierra cocida envejecida o barnizada crean un ambiente relajante. En construcciones modernas, las jardineras de granito, o las macetas de tierra cocida con relieve, en su color natural o pintadas, resultan una solución muy práctica. Los recipientes de plástico o resina se fabrican imitando cualquier material, con la ventaja añadida que proporciona su escaso peso, siendo imprescindibles para plantas que requieren ser transportadas con el cambio de estación.

En los patios donde existe decoración con piedra y plantas de hoja verde, se crea un ambiente adecuado para el descanso.

MI PATIO DISPONE DE POCA SUPERFICIE PERO LAS PAREDES SON ALTAS, ¿CÓMO PUEDO APROVECHAR AL MÁXIMO EL ESPACIO?

Si no dispone del espacio necesario para decorar con jardineras los laterales de un patio, una terraza o un ático, en vez de intentar que las plantas cubran la pared desde el suelo hacia arriba, haga lo contrario, y coloque las plantas arriba para

Los porches cubiertos pueden ser uno de los lugares apropiados para las plantas más frágiles del jardín.

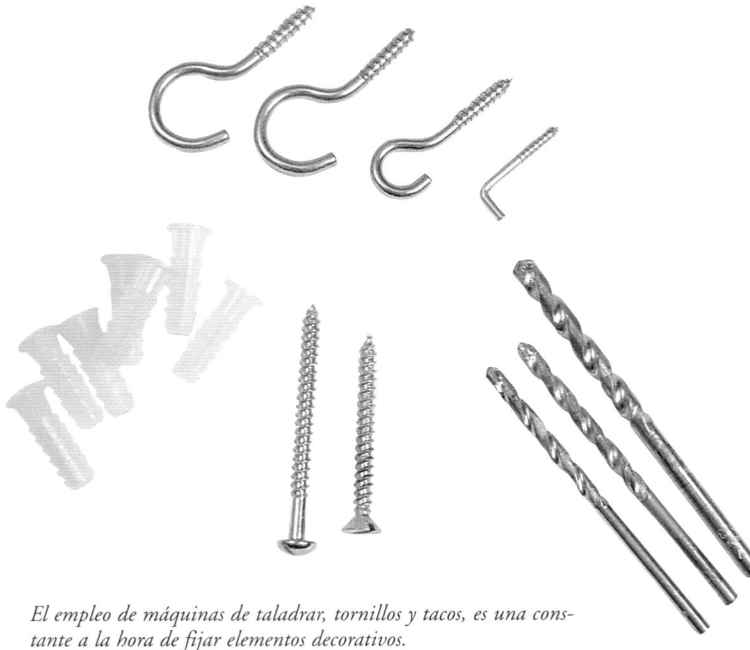

El empleo de máquinas de taladrar, tornillos y tacos, es una constante a la hora de fijar elementos decorativos.

En las terrazas, la utilización de macetas de distinto tamaño y ejemplares, tanto perennes como de temporada, combinan a la perfección.

que lleguen hasta el suelo. Necesitará una buena taladradora, tacos de plástico, tornillos, escarpias y argollas de acero, elementos con los que podrá sujetar a la pared soportes de hierro forjado, decorativos y ornamentales, pintados del color que prefiera. Decídase a escoger entre portamacetas, pedestales, apliques para tiestos colgantes, etc, siendo conveniente que diseñe previamente como van distribuídos y las plantas que desea incorporar. Puede completar el conjunto con farolillos, montantes o descendentes, sobre la pared, o cualquier otro elemento decorativo.

¿QUÉ DEBO HACER CON LAS JARDINERAS, SI HAN ALBERGADO EJEMPLARES INFECTADOS POR HONGOS Y PLAGAS QUE ATACARON LAS RAÍCES?

Cuando una planta de su terraza haya padecido una enfermedad, posiblemente, la tierra haya quedado infectada por esporas o larvas de la misma. No se arriesgue y, antes de volver a utilizarla para cultivar otros ejemplares, esterilícela con el fin de eliminar cualquier germen que pudiera persistir. Como primera medida, prescinda de la tierra y no la reutilice en ningún caso. A continuación, enjuague con agua caliente la maceta o jardinera para retirar las raíces y tierra que pudieran quedar pegadas a las paredes, lave con jabón toda la superficie, tanto interior como exterior, y aclare. Finalmente, cuando esté seca, vuelva a lavarla con vinagre o espolvoree fungicida sobre sus paredes. Transcurridas unas horas, aclare de nuevo. Recuerde que los recipientes de plástico no son buenos transmisores de enfermedades, ya que las superficies lisas hacen muy difícil la vida de los organismos patógenos. Por el contrario, los de tierra cocida necesitan una limpieza más exhaustiva, debido a la gran cantidad de poros que conforman sus paredes.

La utilización de jardineras, no implica que no puedan conseguirse decorados de gran color y hermosura.

Las ventanas soleadas permiten el cultivo de especies de climas cálidos en regiones más frías.

¿CUÁL ES EL MEJOR SISTEMA PARA ASEGURAR EL RIEGO DURANTE EL PERÍODO DE VACACIONES?

A fin de evitar que las plantas se sequen mientras disfruta de unas merecidas vacaciones, puede acondicionar su terraza o porche con un sistema de riego por goteo. No resulta nada complicado y sólo necesitará los tramos de tubería, que ajustará a la medida del espacio, los emisores de goteo y el programador. Acople las distintas partes y conéctelas a un grifo, sin olvidar que los emisores de goteo han de estar colocados, preferiblemente, uno por cada planta. Este sistema puede mantenerlo durante todo el año o instalarlo sólo cuando lo crea oportuno. Si desea cubrirlo para que no esté a la vista, puede taparlo con embellecedores de madera o plástico, pegados con silicona a los tramos de tubería, que podrá pintar a continuación del color que crea más idóneo. No obstante, realice pruebas antes de ausentarse, vigilando la instalación a distintas horas del día, para comprobar la presión y el buen funcionamiento de la misma.

QUERRÍA TENER MI PROPIO SEMILLERO, ¿PUEDO ACONDICIONAR UNA ZONA DE LA TERRAZA CON ESTE FIN?

Si no dispone de un invernadero donde establecer los semilleros, la protección que ofrecen las paredes y el techo de la terraza será más que suficiente aunque, para que se desarrollen convenientemente, deberá mantener determinados cuidados.

Es conveniente que guarde todos los utensilios necesarios en el mismo lugar donde vaya a colocarlos, así como las semillas, bulbos y esquejes que precise. El método más práctico consiste en utilizar una estantería con varios departamentos y algún que otro cajón. Reserve los estantes más altos para cultivar y los más bajos para realizar las operaciones necesarias de preparación y trasplante. Si la terraza no está cubierta por cristaleras, procure que la estantería esté suficientemente protegida del viento y el frío, emplazándola siempre en el lugar más soleado. Es recomendable que cada estante disponga de una bandeja, lo que evitará que ensucie de tierra el suelo, e impedirá que el agua se derrame sin control.

Uno de los recursos que mejor resultado da dentro de los patios, es la distribución de los ejemplares a distintas alturas.

Suelo

Me gustaría reconocer el tipo de suelo que tiene mi jardín para planificar el cultivo de los ejemplares. ¿Existe alguna forma sencilla de saberlo?

Se necesita algo de práctica para poder reconocer qué características son las que ofrece el suelo pero, en definitiva, en la preparación de un jardín, basta con saber si es arenoso o tiene gran cantidad de humus, si es pedregoso o está libre de piedras, si es calizo o no lo es, su riqueza o pobreza en nutrientes, y la capacidad de retener el agua o, por el contrario, de dejarla escapar con rapidez. A fin de poder distinguir tales características, tendrá que ayudarse de un azadón, cavar un poco y así poder descubrirlo.

El fondo oscuro de un suelo bien abonado, puede servir para la creación de bellas composiciones de color y forma.

La presencia de un suelo de tonos oscuros y tierra suelta, es un indicativo de su buena calidad.

Existen diversos indicativos que explican y dan información sobre varios parámetros a la vez; por ejemplo, un suelo arenoso, es pobre en nutrientes orgánicos y retiene muy poco el agua, un suelo muy humificado es rico en nutrientes orgánicos pero no en minerales y además suele contener poca cantidad de oxígeno, etc.

Al objeto de facilitar una sencilla identificación, compruebe cual de las siguientes descripciones se ajusta a su caso.

Suelos arenosos: son ligeros, muy sueltos y de poca consistencia.

Suelos ricos en humus: tienen un color oscuro, aspecto compacto y trozos de vegetales aún sin descomponer.

Suelos calizos: presentan un color blanquecino, compacto y con restos de rocas de contorno muy irregular.

Suelos pedregosos: resultan difíciles de cavar, con piedras de distintos tamaños y extendidas por toda la superficie.

Suelos arcillosos: son muy compactos, de gran consistencia y color rojizo. Su capacidad de retención de agua es muy variable.

¿Qué es el pH del suelo, cómo medirlo y qué utilidad tiene conocerlo?

Es un parámetro que nos da información sobre el grado de acidez o alcalinidad apreciado en el agua o en el suelo. Su importancia radica en que existen plantas incapaces de vivir en suelos calcáreos, y otras que crecen con dificultad sobre suelos ácidos.

La escala de valores de pH toma como punto de partida el valor de pH igual a 7, definido como pH neutro, es decir ni ácido, ni básico (o alcalino). Si el valor está por debajo, iremos hacia un pH cada vez más ácido. En el lado opuesto, cuanto mayor sea el valor, más básico será el pH. Toda esta información que, en principio, puede parecer confusa, es fácil de entender si utiliza un analizador de pH. Puede adquirirlo en cualquier ferretería, y se compone de una pequeña cubeta de muestras con una serie de indicadores de color y los reactivos químicos indicadores de pH.

Para iniciar la prueba, tome una pequeña cantidad de tierra, mézclela con agua y, cuando los sedimentos estén depositados sobre el fondo, coja una medida de este agua y llévela a la cubeta de muestra. Añada los reactivos y espere unos segundos a que cambie de color. Luego, para saber el pH del suelo de su jardín, tan sólo deberá comparar el color resultante en la cubeta con los de la muestra que vienen en el analizador.

¿Cuál es el mejor tipo de suelo para jardinería y qué puedo hacer para conseguirlo?

En las jardineras de exterior, si tienen la suficiente profundidad, podrán ser cultivadas especies de distinto tamaño y envergadura.

Si tuviésemos que elegir, sin lugar a dudas escogeríamos uno rico en materia orgánica, con una buena capa de humus en la parte superior, es decir, con material vegetal a medio descomponer, para que los nutrientes vayan sumándose a los componentes del suelo poco a poco, y una franja de tierra negra (materia orgánica ya transformada) bien diferenciada. Por debajo, un suelo de carácter arcilloso, que dispusiese de un buen sistema de drenaje en la parte más profunda, suelto y oxigenado con una profundidad al menos de 50 cm y libre de piedras. El pH perfecto sería el cercano a un nivel neutro, pero de ligero carácter ácido. Si el suelo de su jardín no comparte estas cualidades, intente compensarlo añadiendo los materiales adecuados en la medida de sus necesidades.

Por otra parte, cualquier tipo de suelo utilizado en jardinería está sometido a una sobrexplotación de sus nutrientes y éstos, irremisiblemente, han de ser regenerados periódicamente para reponer su agotamiento.

¿EXISTE ALGUNA MANERA DE TRATAR EL SUELO DE LA PRADERA PARA QUE EL CÉSPED TENGA UN DESARROLLO VIGOROSO?

Además de retirar las partes muertas acumuladas debajo de las matas de césped, mediante el uso del escarificador o el rastrillo de césped, es necesario cuidarlo de una excesiva proliferación de musgo. Distribuya arena por toda la superficie y airee el suelo varias veces al año, empleando un punzón, los dientes de una horca o cualquier otro elemento puntiagudo, a fin de agujerear toda la superficie hasta una profundidad de unos 20 cm. A continuación, una vez transcurridos un par de días, esparza la arena, procurando que cubra los orificios previamente practicados, para facilitar el drenaje de la pradera. Esta operación es conveniente realizarla al término del verano, o finales de invierno, procurando que no coincida con época de lluvias.

¿PUEDO ENRIQUECER DE ALGUNA FORMA LAS CONDICIONES DEL SUELO?

Cada suelo, como es lógico, presenta una problemática particular y diferenciada; así pues, en el caso de suelos arenosos, el complemento ideal resulta ser tierra arcillosa y estiércol en cantidad, mezclados convenientemente, resultando imprescindible el aporte de abono de origen vegetal cada primavera. Respecto a los suelos pedregosos, previamente han de ser arados para eliminar la mayor parte de las piedras. Si quiere mantener una pradera en buenas condiciones, existe la posibilidad de añadir una buena capa de mantillo y tierra suelta, de unos 15 cm. Para modificar un suelo ácido y darle un

Existen distintos tipos de grava para decorar el suelo del jardín. También es un buen sistema a fin de cubrir zonas encharcadas.

ligero carácter básico, el asunto es algo más delicado, ya que este proceso no puede realizarse de forma brusca. Puede conseguirlo añadiendo una pequeña cantidad de cal, dejando siempre un par de meses de intervalo antes de la plantación de los ejemplares. Para obtener el efecto contrario, deberá emplear compost de origen vegetal o arcilla de origen granítico.
Los suelos limosos o con problemas de aireación necesitarán un arado profundo, realizando una mezcla proporcionada con arena.

El compost es uno de los elementos más empleados en la preparación de suelo para jardineras.

¿DEBO PREPARAR ALGÚN TIPO DE SUELO ESPECIAL PARA UNAS PLANTAS DE ROCALLA?

Si no dispone en su jardín de un grupo de piedras naturales y le gustaría tenerlo, no dude en conseguir las que más le agraden, colocándolas en el lugar más apropiado. Una vez estén instaladas y distribuidas a su gusto, deberá crear un mínimo de suelo para que las plantas de rocalla o cualquier otra que le interese, puedan crecer y desarrollar sus raíces convenientemente. En este caso concreto, el drenaje sobra por razones obvias, ya que al existir poca profundidad, el agua se evapora rápidamente, o es capaz de filtrarse tan pronto como cae. Para cubrir la mayor parte de las oquedades, es necesario emplear tierra. Puede utilizar la propia del jardín o, en su defecto, emplear arcilla. Cuando estén suficientemente cubiertas, saturadas todas las ranuras y huecos, proceda a mojar con la manguera aquellas zonas donde haya pensado plantar los ejemplares. El fin no es otro que el de compactar estas partes y dejar sitio para añadir el compost, rico en materia orgánica, que será el suelo definitivo.

Otra posibilidad consiste en introducir entre ambas partes restos de madera en descomposición, hojarasca, u otros restos de lenta degradación, que proporcionen una reserva de nutrientes a largo plazo.

Los suelos arenosos pueden crear dificultades a la hora de instalar praderas de césped.

QUISIERA DECORAR EL SUELO DE MI JARDÍN CON DISTINTAS TONALIDADES DE PIEDRA. ¿CÓMO PODRÍA LOGRARLO?

En lugares calurosos y de pocas lluvias, suelen emplearse distintos tipos de grava, procedentes de otras tantas clases de roca, como son el granito, la lava volcánica, el cuarzo y rocas calcáreas para cubrir el suelo, en sustitución del césped tradicional, consiguiendo, paralelamente, la retención del agua de riego, con lo que se evita su rápida evaporación.
Los colores disponibles son muy variados, permitiendo distintas combinaciones. La lava volcánica tiene una gran gama que abarca desde el negro hasta el amarillo pálido, pasando por varias tonalidades pardas. El granito puede encontrarse en color gris, negro o rojizo, según el porcentaje de sus componentes, y el cuarzo aporta un blanco cristalino. Dispone

Una vez preparada la rocalla, con un mínimo de suelo aprovechable, podrá plantar sobre ella cualquier especie de jardín.

de rocas calizas desde el blanco mate hasta tonos amarillentos. Empleando su imaginación y su gusto personal, podrá crear dibujos sobre el suelo, mezclando todos estos colores.

¿PUEDO CONSEGUIR QUE UN SUELO ARENOSO Y POBRE EN NUTRIENTES SEA FÉRTIL Y APTO PARA JARDINERÍA?

El modo de lograrlo no es una tarea demasiado fácil porque, para que pueda llegar a tener un suelo adecuado para el crecimiento de las plantas, ha de modificar su composición y estructura hasta unos niveles aceptables. El suelo formado en su mayor parte por arena es muy poroso, por lo que retiene muy poco el agua. En él se encuentran gran cantidad de minerales, aunque en muchas ocasiones no están disponibles para su aprovechamiento. Posee un alto déficit en materia orgánica, y las raíces no encuentran un buen soporte para sostener a la planta.

Por todos estos motivos, es necesaria la adición de varios elementos, que mejorarán su calidad. Comience por proporcionar materia orgánica en grandes cantidades, tal como estiércol y restos de vegetales a medio descomponer, distribuyéndola homogéneamente para luego mezclarla con la tierra. A continuación, puede añadir turba o marga, que le dará consistencia, volviendo a mezclar todo. Tras este aporte, es necesario que mantenga un buen grado de humedad a lo largo de los dos siguientes meses. Antes de sembrar o plantar los ejemplares, vuelva a dar una última mezcla al conjunto.

El empleo de recipientes y vasijas enterradas en el suelo, permite el cultivo de plantas con distintos requerimientos.

Drenaje

¿CÓMO CONVIENE AIREAR UN SUELO DEMASIADO COMPACTO ANTES DE PLANTAR?

Existen dos métodos para conseguir remover el terreno y de este modo oxigenar la tierra, situación que beneficia considerablemente a cualquier tipo de planta en espacios amplios. La manera más rápida y cómoda de hacerlo es empleando un pequeño tractor que, sin el menor esfuerzo, levante la tierra y extraiga las piedras.

En pequeños jardines, esta labor se lleva a cabo con la pala de jardinero y el azadón (si el terreno es duro). Tendrá que cavar una zanja tan profunda como lo permita la hoja de la pala, e ir levantando el terreno paso a paso, sin dejar un solo palmo de tierra en su sitio. Lo que extraiga de un lugar servirá para tapar la zona ya cavada. Retire todas las piedras que encuentre a su paso y no se desanime, porque el resultado será sumamente beneficioso.

¿QUÉ MEZCLA RESULTA MÁS ADECUADA PARA RELLENAR JARDINERAS GRANDES?

Para tener unas jardineras vistosas, con plantas sanas, vigorosas y llenas de flores, lo más importante es el tipo de suelo en el que van a desarrollarse. En las tiendas especializadas venden mezclas ricas en nutrientes y de muy buena calidad, pero no crea que con poner sólo este tipo de suelo, denominado compost, es suficiente, ya que la planta también necesita minerales y un suelo húmedo, pero no encharcado.

La doble función de esta herramienta facilita las labores de escarda, aireación del suelo y cavado.

En primer lugar, cubra el fondo con un poco de grava y una fina capa de arena para, a continuación, instalar el suelo definitivo, de donde absorberán los nutrientes las raíces. Como ejemplo de una mezcla tipo, de resultados inmejorables, puede mezclar 3/4 de compost con 1/4 de tierra arcillosa, cubriendo lo que queda de la jardinera hasta el borde, dejando una pequeña distancia para que el riego no se lleve la tierra. No comprima la superficie con el fin de mantener aireada la mezcla.

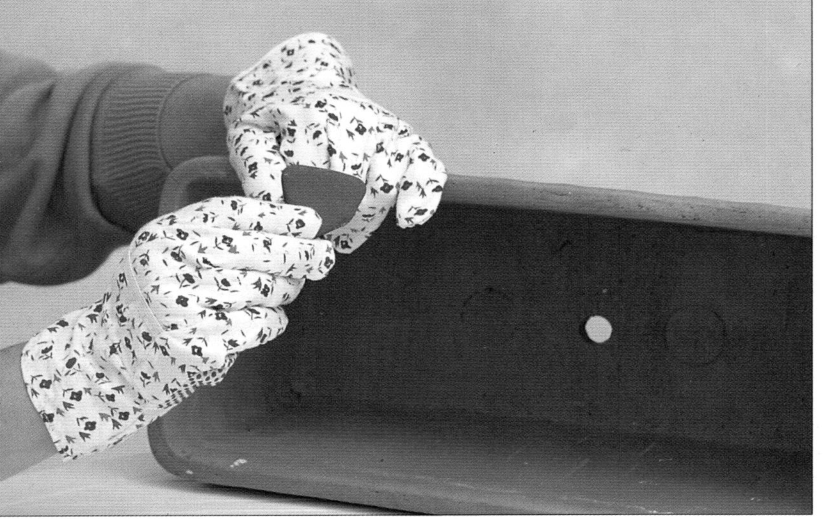

Utilice trozos de teja, ladrillo o pequeñas piedras, a fin de dejar libres los agujeros de drenaje.

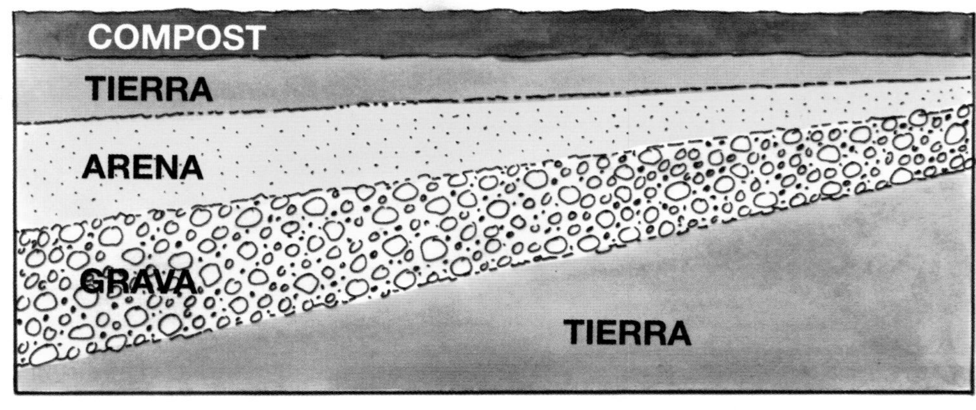

Los canales de drenaje han de estar provistos de cierta inclinación y construidos con materiales porosos, para conseguir la libre circulación de agua a través de los mismos.

¿QUÉ MATERIALES PUEDO EMPLEAR Y CÓMO PARA LOGRAR UN BUEN DRENAJE EN LA PRADERA?

Los materiales empleados en la fabricación de canales de drenaje para el suelo de una pradera de césped, deben ser porosos, permeables y, en definitiva, que permitan la circulación del agua a través de ellos. Los más empleados son la arena de río de grano medio, libre de limos y fango, y la grava, que puede tener distintos grosores y ser de diferentes materiales. Los componentes de ambos elementos, al estar formados por ingredientes no ligados entre sí, dejan oquedades por las que puede discurrir el agua.

¿HAY ALGÚN SISTEMA PARA EVITAR QUE SE TAPONE EL DRENAJE EN JARDINERAS Y MACETAS?

Todo recipiente que vaya a ser empleado en jardinería ha de tener, en la mayoría de los casos, un buen sistema de drenaje. La excepción la proporcionan aquellas macetas que alberguen plantas con pocas necesidades hídricas, como los cactus o las plantas crasas, en las que los riegos son mínimos y el agua difícilmente queda acumulada en el fondo.

Respecto al resto de las plantas, si la jardinera no posee agujeros de drenaje, tendrá que proporcionárselos usted. Utilice una taladradora y sitúe los agujeros en el fondo de la misma. Seguidamente, protéjalos para que no lleguen a taponarse con la tierra o las raíces, colocando encima un trozo de teja o ladrillo y cubriéndolo con una fina capa de tierra. Evite cualquier movimiento brusco que los desplace de su posición.

TENGO ALGUNAS ZONAS DEL JARDÍN ENCHARCADAS. ¿DE QUÉ FORMA PODRÍA SOLUCIONARLO?

El problema surge cuando no existe ningún sumidero, lo que puede provocar la acumulación de agua. Para evitarlo, el suelo del jardín necesita unos canales de drenaje, dirigidos desde la zona afectada hasta el lugar donde pueda desaguar. Por este motivo, el canal tiene que contar con un desnivel en sentido descendente hacia el lugar de salida. La profundidad variará entre los 40 cm y 1 m, dependiendo de las irregularidades del terreno, y ha de rellenarlo en el fondo al menos por 15 cm de una capa de grava y arena para facilitar el paso del agua.

Con el fin de evitar sorpresas, es recomendable que, antes de ponerse manos a la obra, dibuje un croquis del jardín y distribuya los canales de drenaje para que éstos sean efectivos.

No obstante, en la mayoría de las construcciones modernas, el jardín suele estar provisto de un sumidero con desagüe en la zona más deprimida, lo que posibilita que el agua vaya a parar a este punto.

Las macetas de gran volumen, así como las fabricadas en materiales delicados, necesitan un buen sistema de drenaje.

Una de las situaciones más comunes en terraza y patios, es el derrame del agua a través del drenaje de las macetas.

La solución al problema de la acumulación de agua, en este caso, pasa por elevar el terreno para cultivar los ejemplares más delicados.

Abonos y compost

HE OÍDO QUE LOS FERTILIZANTES LÍQUIDOS NO SON MUY ACONSEJABLES PARA LA JARDINERÍA DE EXTERIORES. ¿ES CIERTO?

La explicación a esta pregunta es sencilla, pero no contundente. Los fertilizantes líquidos están especialmente concebidos para ayudar a las plantas durante la época de floración o en el momento de máximo crecimiento de las mismas, pero su uso está casi relegado a las plantas de interior. Esto sucede porque, como su nombre indica, son líquidos y, en regiones donde las lluvias son frecuentes o intensas, hace que lleguen a diluirse y acaben perdiéndose tan rápidamente, que no da tiempo a que las raíces de la planta los absorban.

Ahora bien, si en su lugar de residencia el verano es caluroso y no llueve con relativa frecuencia, podrá utilizarlos a la vez que realiza el riego, sin ningún tipo de problemas, en jardineras, recipientes y macizos de flores. Tenga cuidado y distribúyalo uniformemente por la superficie del suelo, no mojando las hojas y tallos de las plantas porque, además de perjudicial, no serviría para nada.

Las plantas anuales y de temporada pueden completar su ciclo de vida con los nutrientes propios del suelo, sin necesidad de abono adicional.

¿CUÁL RESULTA SER EL MEJOR ABONO PARA EXTERIORES?

El mejor abono que puede emplear es aquel que tarda cierto tiempo en descomponerse o desaparecer; es decir, que sea de larga duración. Por este motivo, los abonos sólidos son los más empleados, sobre todo aquellos procedentes de estiércol de origen animal, pues es el que la naturaleza dispone para este fin. El estiércol procedente del ganado ovino resulta el más indicado, ya que por su pequeño tamaño y el alto grado con el que ha sido procesado por el animal, facilita su distribución y el aprovechamiento que de él hará la planta, aunque, en determinadas zonas es algo difícil de conseguir.

Son numerosos los desperdicios y restos de materia vegetal procedentes del jardín, que pueden ser reutilizados.

Los viveros disponen de una mezcla conocida con el nombre de mantillo en sacos de distintas capacidades, que no es más que estiércol tratado, para que llegue a su jardín con un buen nivel de descomposición y muy desmenuzado. Este compuesto suele llevar una cierta cantidad de tierra mezclada, que aporta una proporción de nutrientes de origen mineral.

Para las plantas de interior y de sombra, es preferible que utilice abono de origen vegetal, que resulta más ligero.

¿DE QUÉ MANERA PUEDO REGENERAR EL ABONO EN LAS MACETAS Y JARDINERAS?

Las plantas cultivadas en macetas o jardineras acaban pronto con los nutrientes del suelo, ya que son limitados y, como término medio, la tierra es capaz de alimentar a las plantas en estos recipientes, sólo durante una temporada. Pasado este período, debe tomar la decisión de cambiar la tierra, o al menos regenerar los nutrientes de la misma.

Si se decide por la primera opción tendrá que esperar a que termine el invierno para vaciar la jardinera, sustituyendo el compost agotado por uno nuevo.

Si elige la segunda alternativa, podrá recurrir al uso de fertilizantes líquidos, abonos de origen químico y lenta difusión, o retirar la capa superficial para añadir compost nuevo o restos orgánicos que puedan servir como abono. Esta posibilidad tiene el inconveniente de no poder calcular bien las proporciones justas, independientemente de tener que controlar la materia mineral que se agota, suministrando una pequeña parte de tierra de calidad (arcilla, marga, turba).

En términos generales, si la maceta es de pequeño tamaño, al final le traerá mas cuenta realizar un cambio total del compost y si, por el contrario, la maceta es considerable y contiene un ejemplar grande, será preferible sustituir la capa superficial.

¿QUÉ PROBLEMAS DA EL ESTIÉRCOL POCO HECHO?

El principal inconveniente que presenta el estiércol fresco, viene motivado porque sufre, inevitablemente, una serie de transformaciones de fermentación y descomposición, que producen gran cantidad de calor y la falta de oxígeno (anoxia), circunstancia que puede originar graves daños a las plantas.

El estiércol resulta útil para el uso en jardinería una vez que ha pasado una serie de etapas que le han permitido secarse y desmenuzarse, provocando la conversión de los elementos nutritivos que posee en materia aprovechable. Las pequeñas partículas resultantes, son capaces de difundirse, mezclándose con la tierra, momento a partir del cual la planta puede hacer uso de los nutrientes, principalmente compuestos nitrogenados.

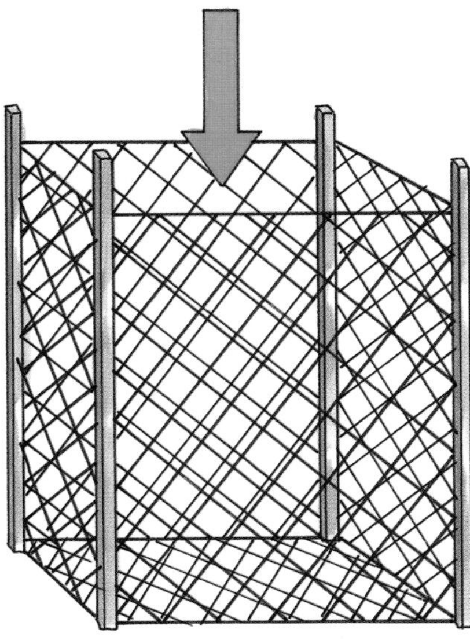

La reutilización de los desechos vegetales del jardín y la casa, representa una alternativa de gran ayuda para la regeneración de los nutrientes del suelo.

TENGO ENTENDIDO QUE PUEDE FABRICARSE UNO MISMO EL COMPOST. ¿RESULTA MUY COMPLICADO?

No es complicado ni requiere esfuerzos adicionales, solamente necesita una pequeña porción libre de terreno y suficiente cantidad de materia orgánica inservible. Referente al espacio, tiene que elegir una zona cálida y soleada, con una superficie de 1 m^2 aproximadamente, sobre la que construirá una especie de jaula rectangular con cuatro estacas de madera de 1,5 m de altura (para emplearlas como vértices), cubriéndola con una fina malla de plástico, que dará forma a las paredes.

Para fabricar el compost tendrá que contar con una serie de elementos no muy difíciles de encontrar. En primer lugar, precisa la materia orgánica que aportará los nutrientes necesarios, como puede ser toda la hojarasca que ha recogido en otoño, el césped cortado, así como cualquier tipo de materia vegetal que vaya a desperdiciar, serrín, corteza de árbol, los posos de café, algunos restos de fruta, etc. Tendrá que disponer de estiércol de ganado (ovino a ser posible) o mantillo, y de un buen montón de arcilla o marga. Si tiene chimenea en casa, podrá aprovechar también toda la ceniza acumulada.

Lo más importante es cómo almacenarlo en la jaula, que conviene esté preparada al comienzo del

El suelo de la pradera, de la rocalla y de las macetas, ha de ser enriquecido con distintos tipos de abono.

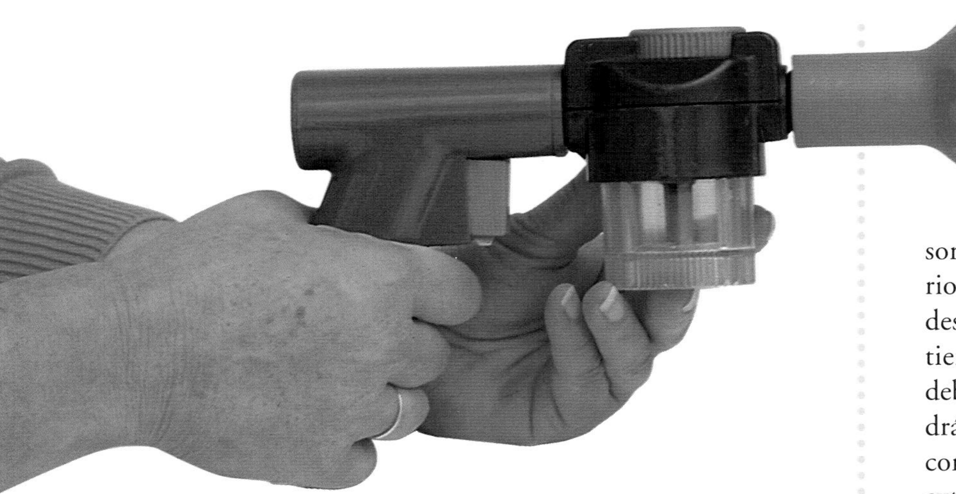

Una forma muy cómoda de abonar, es mediante el empleo de pastillas de abono.

otoño. Los materiales se incorporan en distintas capas; en primer lugar la hojarasca y demás materia vegetal, a continuación los posos de café, la ceniza y el estiércol, y finalmente se cubre todo con la tierra disponible. Este bloque no debe superar los 20 cm de grosor, pudiendo repetir la operación tantas veces sea necesario, hasta llenar toda la jaula. Una vez alcanzada la altura deseada, coloque en la parte de arriba una buena capa de tierra y varias piedras pesadas para prensarlo. La mezcla debe permanecer continuamente empapada, por lo que tendrá que regarla con frecuencia, manteniéndola así hasta el comienzo de la primavera, momento en el cual podrá ser extraída y empleada en la preparación de jardineras, macizos y setos.

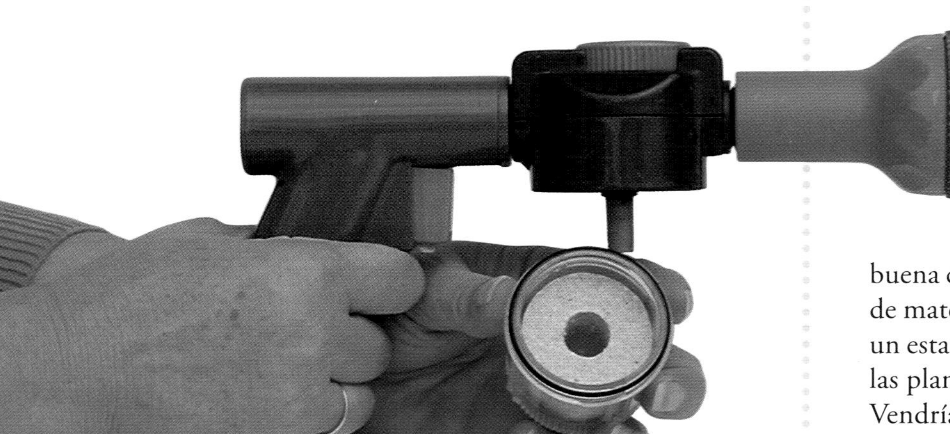

Combinadas con una pistola de riego, podrá abonar a la vez que suministra el agua a sus plantas.

¿REALIZA EL COMPOST LAS MISMAS FUNCIONES QUE UN SUELO BIEN CUIDADO?

El compost es una mezcla de materia vegetal con un alto grado de degradación. En algunos casos, puede completarse con tierra de buena calidad (marga, turba o arcilla) y una pequeña parte de materia orgánica de origen animal, que se encuentre en un estado avanzado de descomposición, lo que permitirá a las plantas aprovechar los nutrientes orgánicos que posee. Vendría a sustituir a la fina capa original que existe en la naturaleza, formada por humus (conjunto de ramas, hojas y material vegetal muerto, además de restos de animales, degradado por las bacterias del suelo), situada a nivel superficial, sobre las demás que componen el suelo.

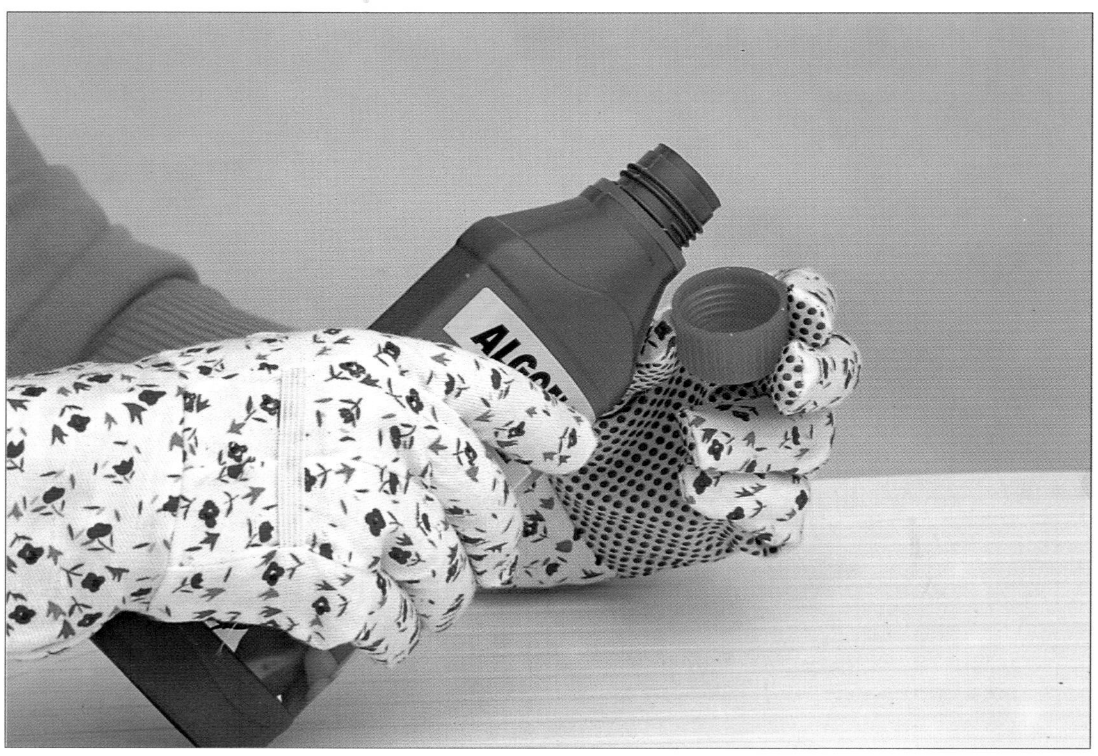

Si utiliza fertilizante líquido concentrado, emplee las cantidades especificadas por el fabricante.

El período de mayor auge en la floración de algunas especies, coincide con el momento en que ha de suministrarse el abono.

El compost suele ser de color oscuro, tener una textura gruesa y aspecto esponjoso, y ofrece la ventaja de estar esterilizado, por lo que no contiene gérmenes vivos, ni semillas que puedan germinar.

¿EXISTEN DISTINTOS TIPOS DE COMPOST?

En la actualidad puede encontrar distintos tipos de compost en el mercado, destacando el de uso más generalizado, que es conocido como compost para plantas de interior, empleado también con plantas de frágiles características como, por ejemplo, las denominadas de sombra. Existen otros más específicos, tales como el destinado al cultivo de orquídeas (mucho más ligero y poroso), o el utilizado para plantar crasas y cactus.

A la mezcla original, compuesta casi exclusivamente por materia vegetal, se le han sumado en la actualidad compost formados por una mezcla de materia vegetal con otra de origen animal, enriquecidos con nutrientes minerales. Cabe señalar que cada vez está más difundido y estimado el compost fabricado a partir de desperdicios de basura orgánica reciclada, una tendencia con gran futuro por su indiscutible valor ecológico.

EN MI JARDÍN TENGO DISTINTAS VARIEDADES DE PLANTAS, Y NUNCA SÉ CÓMO NI CÚANDO ABONARLAS. ¿CÓMO PODRÍA HACERLO?

Para conseguir una buena distribución del abono en el jardín y, de este modo, favorecer todas las plantas por igual, es necesario tener en consideración los distintos tipos de plantas y sus requerimientos. Lógicamente, no es lo mismo el conjunto de las plantas anuales, que los árboles frutales o una pradera de césped, motivo por el que es imprescindible establecer una diferenciación.

A continuación, figura una relación orientativa del tipo de abono que requieren distintos grupos y la época más conveniente para suministrarlo.

Arboles frutales: Proporcione una buena cantidad de estiércol sobre la superficie en la que están plantados. Suminístrelo a finales de invierno.

Plantas anuales: No necesitan aporte extra de abono durante el crecimiento, simplemente han de ser plantadas sobre un suelo rico en nutrientes, tal como el formado por una mezcla de mantillo, arcilla, compost, a la que podrá añadir posos de café o cenizas.

Plantas de rocalla: La distribución de pequeñas cantidades de abono entre las grietas de las rocas favorecerá el desarrollo de nuevas matas. Utilice mantillo desmenuzado, cenizas y posos de café. Suminístrelo al principio de la primavera.

Plantas vivaces: Como a cualquier otra planta del jardín el aporte de mantillo o estiércol sobre la superficie del suelo las beneficia. Si están plantadas en una jardinera, sustituya el compost agotado por uno nuevo, ya sea total o parcialmente, y mezcle cenizas, realizándolo a principio de la primavera. Añada fertilizantes o abonos para favorecer la floración al comienzo del verano.

Pradera de césped: Distribuya mantillo fino y desmenuzado, bien extendido por toda la pradera. Si el césped es utilizado con fines deportivos, emplee abono sintético. Suminístrelo a principio de la primavera y, si es necesario, también al principio del otoño.

Rosales: Los que viven en maceta, necesitan abono antes de la floración, fertilizantes para la floración, y sustitución de la capa superficial por compost nuevo. Los que están plantados en jardín necesitan mantillo y cenizas. Apórtelo al final del verano.

Setos: No requieren grandes cuidados, aunque en las primeras etapas de desarrollo agradecen una cantidad adicional de nutrientes, tales como posos de café, estiércol, y cenizas. Puede aplicarlo en cualquier época del año.

Riego

¿Cómo debo regar para aprovechar al máximo el agua sin desperdiciarla?

Especialmente en lugares donde no hay abundancia de agua, su derroche innecesario e indiscriminado supone una forma de actuar de la que podemos más adelante lamentarnos.

Por tal motivo, no debe regar en los momentos del día en que el calor es más intenso y el sol está más alto; hágalo a primera y última hora del día, para evitar que el agua se evapore. Emplee regaderas y pistolas de riego regulables, que ofrecen la ventaja de dispersar el agua con menor fuerza, con lo que la tierra es capaz de absorberla rápidamente, sin llegar a rebosar (evitando la consiguiente pérdida). Del mismo modo, este sistema de riego favorece al suelo ya que, saliendo con menor presión, el agua no erosiona la superficie.

En cualquier caso, el riego por goteo supone, sin lugar a dudas, la forma más eficaz y rentable de regar el jardín, puesto que con este método asegura un aporte continuo de agua, con un caudal mínimo, impidiendo, dicho sea de paso, el nacimiento de malas hierbas.

¿Dónde y cuándo es más útil el empleo del riego por goteo?

El método de riego por goteo, resulta práctico en jardineras, tanto en terrazas como jardines. Así mismo, es muy útil en plantas de tamaño medio, aisladas unas de otras y, cómo no mencionarlo, para despreocuparse del riego durante el verano o en vacaciones.

La distribución del riego dentro del jardín es una tarea sencilla y fácil de realizar, con elementos adquiridos en cualquier establecimiento del ramo.

El riego por goteo puede camuflarse, sin ningún problema, entre los distintos ejemplares del jardín.

Es de muy sencilla instalación y existen diferentes posibilidades, disponiendo, por ejemplo, de mangueras de goteo, perforadas en toda su longitud, muy útiles para el riego de setos, o bien conjuntos más sofisticados (válidos incluso para instalar en terrazas y balcones), compuestos por tramos individuales de manguera, emisores de goteo y programador de riego. Mediante este sistema, conseguirá llegar a cualquier parte del jardín sin ningún problema, teniendo la posibilidad de desarmarlo y guardarlo en ciertos periodos, si lo cree conveniente. Una vez instalado, realice las pruebas pertinentes hasta estar seguro de que en su ausencia no se producirá un funcionamiento anormal, con el consiguiente perjuicio.

¿Merece la pena instalar un programador de riego?

Si no dispone del tiempo suficiente para dedicarse al riego de su jardín o es de grandes dimensiones, la solución más práctica que puede elegir es la de acondicionar un dispositivo de riego automático. Las ventajas que ofrece son muchas, pudiendo regar cuando quiera y durante el tiempo que desee, sin tener que preocuparse de abrir o cerrar ninguna llave de agua. Esta opción normalmente está unida a un sistema de tuberías subterráneas, ya que los aspersores, por razones obvias, han de estar colocados en su lugar permanentemente.

Existen dos tipos de programadores: el convencional, con un mecanismo de relojería que va unido directamente a un grifo, y el electrónico, con indicador digital. Ambos pueden llevar acoplado un distribuidor automático de riego para coordinar varios canales al propio tiempo, lo que es de suma utilidad en grandes jardines, donde la presión de agua insuficiente no permite el riego por igual.

¿ES POSIBLE EVITAR QUE AL REGAR EL SUELO SE LEVANTE CON LA FUERZA DEL AGUA?

Si desea evitar que el agua de la manguera levante la tierra de la superficie, y queden al descubierto parte de las raíces, ha de tener cuidado, abriendo el grifo sólo hasta la mitad, regando desde una posición más cercana al suelo, e interponiendo el dedo pulgar en el extremo de salida para romper el chorro de agua. En el mercado existen diferentes boquillas metálicas o plásticas para mangueras, que varían la potencia de salida. Independientemente, tiene la posibilidad de acoplar a la boca de la manguera una pistola regulable de riego, que le permitirá con comodidad variar el flujo, modificando el potente chorro de agua por una fina lluvia, o agua pulverizada. En el caso de las jardineras, es preferible que realice el riego con una regadera o jarra de plástico ya que, debido al pequeño espacio disponible y el tamaño de estos recipientes, cualquier otro sistema resultaría menos práctico.

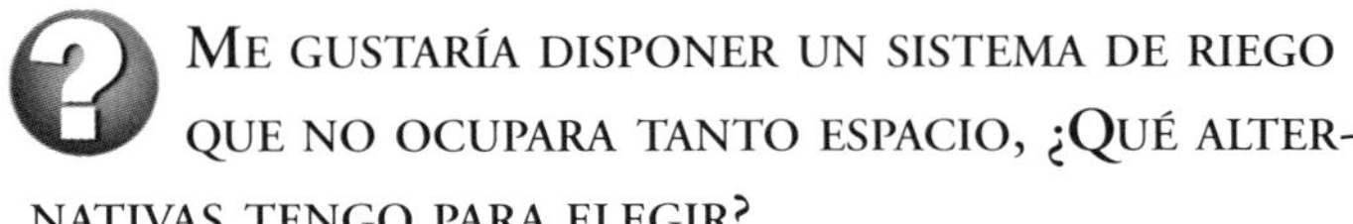

ME GUSTARÍA DISPONER UN SISTEMA DE RIEGO QUE NO OCUPARA TANTO ESPACIO, ¿QUÉ ALTERNATIVAS TENGO PARA ELEGIR?

Si desea prescindir de mangueras, regaderas, etc., por falta de espacio, lo más conveniente es que las sustituya por un sistema de riego subterráneo bajo la pradera. Esta opción le ofrece la ventaja de evitar el deterioro de los materiales, bien por el uso o por la acción de las inclemencias del tiempo, como especialmente sucede con las heladas y, al mismo tiempo, confiere al jardín un mayor valor estético al prescindir de elementos que, por el color o la forma, desentonan del conjunto. Su instalación necesita unas fuertes tuberías de plástico, los correspondientes elementos de empalme y conexión (como codos de empalme y juntas de goma), aspersores turbina equipados con tobera, y un azadón para trazar el recorrido. Todo el circuito ha de estar conectado con la red de agua, y el sector de riego de los aspersores debe cubrir la superficie completa del jardín.

Los aspersores resultan la alternativa más indicada para suministrar agua a cualquier pradera de césped.

Los programadores y los distribuidores automáticos de riego, facilitan la labor del jardinero.

Para esconder las tuberías y tramos de manguera que conectan los distintos aspersores con la boca de riego, no es preciso realizar desperfectos en el jardín.

Trasplante

EL TAMAÑO DE LA AUCUBA QUE TENGO EN LA TERRAZA ES DESPROPORCIONADO CON RESPECTO A LA MACETA, ¿QUÉ DEBO HACER PARA SOLUCIONARLO?

Para desenterrar y plantar los ejemplares, necesitará la ayuda de distintos útiles.

Cuando una planta adquiere un tamaño desmesurado con relación al de la maceta, la planta tendrá dificultades para crecer con garantías de salud. En esta situación, al ser mayor su tamaño, tambien es superior la demanda de alimento, agotándose los nutrientes más rápidamente. Es posible que lleve tiempo sin emitir nuevas hojas y, como las raíces suelen crecer en proporción similar al resto de la planta, seguramente estén apelmazadas en las paredes y fondo de la maceta.

Otro problema derivado de la falta de espacio es que el agujero de drenaje puede llegar a taponarse con las raíces. Si se diese esta circunstancia, estaría obligado a cambiar la maceta por una mayor, renovando el compost agotado. Con la sustitución de maceta, comprobará como la planta vuelve a producir hojas y adquiere un color y aspecto más vigoroso.

¿QUÉ HE DE HACER CON EL ABETO DE NAVIDAD, PARA NO PERDERLO?

En numerosas ocasiones habrá oído hablar de la pérdida del abeto de Navidad una vez llegada la primavera, y es que esta planta no es la más indicada para vivir en maceta ni, menos aún, en el interior de una casa con calefacción. Generalmente, estos árboles son vendidos con el cepellón de raíces envuelto en un saco, o en el interior de una pequeña maceta, situación que sólo puede soportar si es transitoria.

La rápida proliferación de nuevos ejemplares en el interior de una maceta, motiva el trasplante.

Con la llegada de la primavera, las raíces y tallos crecen y, si la planta no está en el lugar adecuado, morirá irremediablemente. A fin de evitar esta eventualidad, si dispone de un espacio de terreno, trasplántela lo antes posible. Realice un hoyo donde quepa el cepellón y cúbralo de tierra, asegurándose que quede bien asentado. Riegue un poco y, antes de que comience la primavera, deposite una fina capa de abono en la base del tronco. Es imprescindible que efectue el trasplante antes de que la primavera haga rebrotar la planta.

En caso de que no cuente con un jardín, necesitará una maceta de grandes dimensiones y compost de buena calidad. Compruebe que el drenaje funciona adecuadamente y no olvide abonar si el abeto no se desarrolla con normalidad.

QUIERO CAMBIAR DE POSICIÓN UNA HORTENSIA QUE ES DEMASIADO GRANDE, ¿CÓMO ES POSIBLE TRASLADARLA DE UN LUGAR A OTRO SIN CAUSARLE DAÑO ALGUNO?

Para realizar esta operación ha de tener cuidado, ya que corre el riesgo de dañar las raíces y provocar la pérdida del ejemplar. La época más indicada para efectuar el trasplante es al final del invierno o comienzo de la primavera.

Como en el caso de las plantas de grandes dimensiones es materialmente imposible extraerlas con las raíces intactas, puesto que las de mayor tamaño pueden romperse, para evitar esta situación, en la medida de lo posible, riegue en abundancia durante los dos días previos al trasplante, cerciorándose de que la tierra esté suficientemente empapada y suelta. Cave alrededor de la planta, manteniendo una distancia prudente con el fin de no dañar las raíces principales, creando una especie de cepellón de tierra con ellas en su interior. Vuelva a regar en el surco excavado y espere a que el agua se haya filtrado. Finalmente, y con mucho cuidado, mueva la mata a un lado y a otro para desprender poco a poco las raíces más profundas. Cuando lo crea oportuno, levántela por completo, trasladándola al lugar de destino, donde previamente habrá hecho un agujero de dimensiones semejantes a las del cepellón. Asegúrese de que el terreno esté suelto y aireado, situación que ayudará al desarrollo de nuevas raíces. Una vez colocada, cubra los laterales y la base del tronco con compost y proporcione un ligero riego a todo el conjunto para que la tierra se compacte adecuadamente.

SE ME HA ROTO UNA MACETA EN PLENO VERANO, ¿CÓMO PUEDO REALIZAR EL TRASPLANTE SATISFACTORIAMENTE?

Los cambios de maceta y los trasplantes deberían llevarse a cabo, a ser posible, antes de que el calor de la primavera despierte la savia que fluye por el interior, ya que las plantas prolongan la etapa de máximo desarrollo y crecimiento hasta los primeros fríos otoñales. Interrumpir este ciclo, puede hacer que la planta sufra en exceso, llegando incluso a motivar su pérdida. El problema es inevitable cuando la maceta donde vivía la planta se rompe, por lo que tendrá que actuar en consecuencia.

Tan pronto se aperciba de la rotura, cámbiela a una nueva, introduciendo la planta en su interior, e intentando descubrir lo menos posible

El cepellón de raíces podría quebrarse si no se humedece con anterioridad al trasplante.

Muchas de las plantas adquiridas en vivero, han de ser trasplantadas de la maceta al suelo.

las raíces. Si ve que no puede recuperar todo el compost, incorpore la cantidad necesaria, depositándolo en el fondo de la nueva maceta. En caso de que llevase algún tiempo rota, tendrá que humedecer con un pulverizador el compost y las raíces, al igual que el nuevo recipiente. En ambos casos, una vez realizado el trasplante, lleve el ejemplar a un lugar fresco y fuera del alcance de los rayos solares.

¿CUÁLES SON LOS INDICIOS DE QUE UNA PLANTA NECESITA SER TRASPLANTADA?

La necesidad que lleva a una planta cultivada en maceta a ser trasplantada, en cuanto a nutrientes se refiere, viene inducida, principalmente, por la falta de espacio y el agotamiento del compost. Estos problemas repercuten negativamente en el aspecto de la planta y provocan, de forma indirecta, que seamos capaces de detectarlos, no con una seguridad absoluta, pero si con un alto índice de acierto.

Estas situaciones son más comunes en ejemplares jóvenes, en especies de rápido crecimiento (que necesitan más nutrientes que las demás) o en plantas cuya época de crecimiento abarca más de una estación. En cualquier caso, los síntomas a tener en cuenta son la pérdida de color en el follaje, la falta de crecimiento, la presencia de raíces en la superficie de la maceta, un tamaño desproporcionado de la planta con respecto al recipiente y la ausencia de nuevos brotes y hojas. Valore todos estos elementos y actue en consecuencia.

Poda

¿CÓMO ES PREFERIBLE CORTAR LAS RAMAS GRANDES DE LOS ÁRBOLES?

Cuando una gran rama da indicios de que puede llegar a troncharse a causa del peso, es necesario prescindir de ella para evitar males mayores, ya que podría causar daños en su caída y, además, desgarrar parte del tronco del árbol.

Para eliminarla de forma controlada, necesitará en primer lugar una sierra. Compruebe previamente la dirección de caída, cerciorándose de que no hay nadie en las proximidades. Practique un corte en la parte inferior de la rama, intentando que no llegue a profundizar más de un tercio del total de la misma. De un segundo corte por la parte superior, pero un par de centímetros más arriba del lugar donde dio el primero. Tenga presente que debe traspasar los dos tercios de profundidad para que queden solapadas ambas hendiduras. Si la rama no cae por su propio peso, ate una cuerda al extremo para que, con un pequeño esfuerzo, se tronche. Como última medida, realice un tercer corte a ras del tronco, con objeto de dejar correctamente terminado el corte de poda, evitando podredumbres.

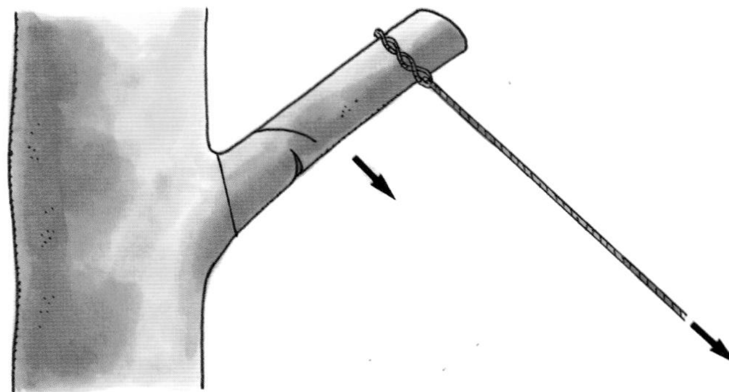

Las ramas de gran tamaño, han de ser cortadas en tres pasos con el fin de impedir que el peso las venza.

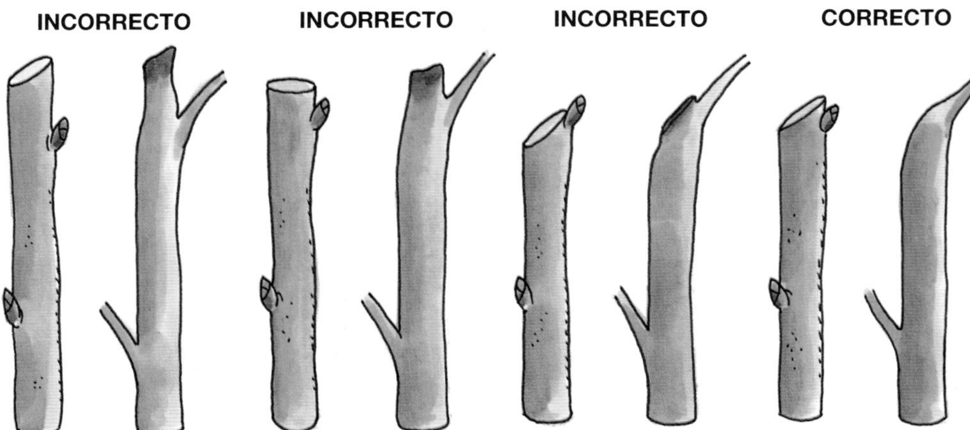

El corte de poda ha de realizarse de forma precisa, ya que la planta puede correr el peligro de sufrir desperfectos.

Mediante el corte de ciertos tallos, es posible que los rosales puedan llegar a los lugares más inverosímiles.

¿HAY ALGUNA FORMA PARA DAR EL CORTE CORRECTO EN UNA RAMA Y EVITAR LAS POSIBLES PODREDUMBRES PRODUCIDAS POR LA PODA?

Cuando realice una operación de poda, no puede dar el corte de cualquier modo. Para conseguir un buen resultado a largo plazo, resulta indispensable saber que todos los cortes han de ser practicados en oblicuo, dejando el lado más largo hacia el lugar natural de crecimiento, que normalmente coincide con la zona más elevada, quedando el más corto hacia el suelo.

A fin de evitar podredumbres, antes de cortar tendrá que buscar una yema o una rama ya desarrollada y dar el corte por encima de ésta, evitando que quede justo a ras, (porque la yema o rama podría quedar dañada), o muy por encima (lo que favorecería la aparición de podredumbre). El motivo para realizar esta práctica radica en que la savia discurre hacia arriba y, al ser cortados los vasos que la transportan, continúa ascendiendo por el camino más cercano. Si existe una rama o yema en las proximidades, el cambio de dirección se realiza rápidamente, cicatrizando los vasos cortados en un corto espacio de tiempo. Sin embargo, si deja una pequeña porción de rama justo por encima de la yema, al cambiar la savia de dirección no llega hasta la herida, tardando en cicatrizar, lo que propicia la muerte de esta zona y la aparición de podredumbre.

¿CUÁL ES LA MEJOR ÉPOCA PARA PODAR LOS ÁRBOLES Y ARBUSTOS?

Generalmente, el momento más adecuado para llevar a cabo la poda de árboles y arbustos es durante el invierno. Así ocurre con la mayoría de las plantas, como son los rosales, los árboles frutales y los árboles de hoja caduca en general. Hasta el final de esta estación, justo en el momento que comienza a vislumbrarse el inicio de la primavera, puede retrasarse la poda de coníferas y enredaderas utilizadas para la formación de setos.

Existen algunos casos aislados de árboles que deben ser podados sólo al comienzo del invierno, como ocurre con los nogales, por su corto periodo de reposo invernal, y los almendros, que florecen muy pronto.

Una de las tareas de poda más convenientes es la que reduce el número de ramas secundarias.

SIEMPRE TENGO DUDAS AL PODAR, ¿QUÉ RAMAS SON LAS QUE DEBEN SER ELIMINADAS?

Para contestar esta pregunta, es necesario que antes se pregunte otra: ¿Con qué forma quiero que crezca el arbusto o árbol? Evidentemente, no es lo mismo podar un árbol para sombra que un arbusto para floración, o la poda de las primeras etapas de desarrollo y las realizadas con posterioridad.

Comenzando por las podas de crecimiento, en primer lugar, es necesario eliminar los rebrotes de raíz si los hubiese, suprimir los brotes anuales del tronco principal, y quitar las ramas que descompensan la forma y estructura del árbol. Las podas sucesivas estarán encaminadas a evitar el excesivo número de ramas principales y secundarias manteniendo, en la medida de lo posible, una alternancia con objeto de compensar el peso de las ramas.

Para conseguir un árbol que sea capaz de ofrecer una buena sombra, debe cortar el ápice del tronco cuando éste haya alcanzado al menos los 2 m de altura, situación que favorecerá el desarrollo de tres o cuatro ramas laterales, que serán podadas manteniendo el crecimiento en la horizontal. Tras la poda no quedarán más que estas tres o cuatro ramas principales, repitiendo la operación los siguientes años. Si lo que desea es tener un arbusto compacto, mantenga un buen número de ramas secundarias, y pode sólo superficialmente los brotes nuevos.

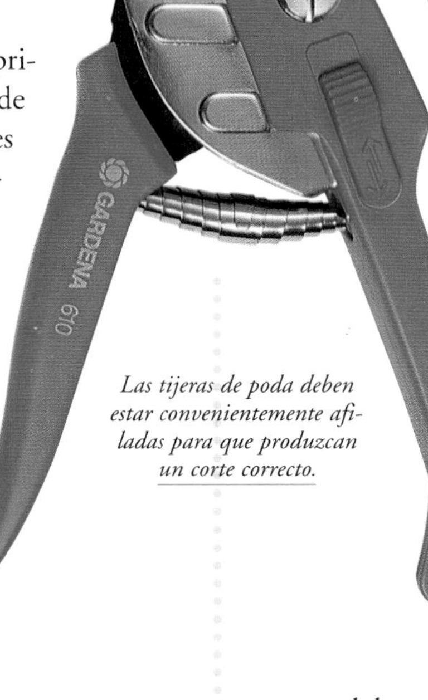

Las tijeras de poda deben estar convenientemente afiladas para que produzcan un corte correcto.

ME HE DADO CUENTA DE QUE ALGUNAS RAMAS PODADAS NO TIENEN UN CORTE LIMPIO Y QUEDAN PEQUEÑAS ASTILLAS. ¿QUÉ CONVIENE HACER PARA ARREGLARLAS?

Si por cualquier motivo, como puede ser un corte mal dado, el desgarro causado por el peso de la rama al troncharse o unas herramientas poco afiladas, el corte de poda no ha quedado del todo bien efectuado y existen pequeñas astillas en el borde de la herida, tendrá que tratar el corte y terminarlo, a fin de evitar que puedan producirse podredumbres, tan poco beneficiosas para la salud de la planta.

Ayúdese de una navaja o gubia para tratar el borde dañado, con la finalidad de retirar las astillas que se han formado tras el desgarro y dejar un borde liso con perfil curvo. De este modo, la parte más externa del tronco del árbol queda con una especie de labio, que facilita la cicatrización de la herida.

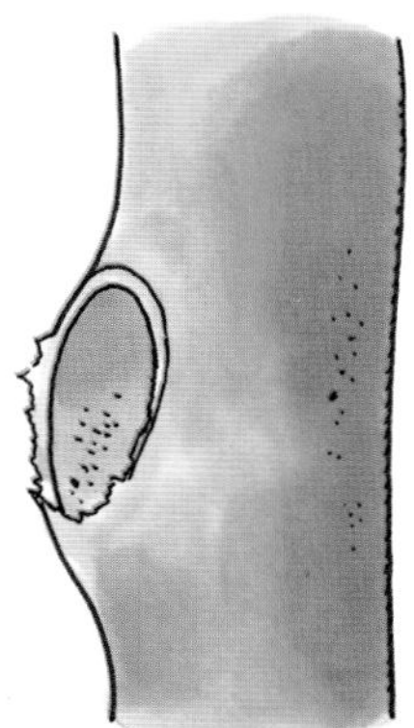

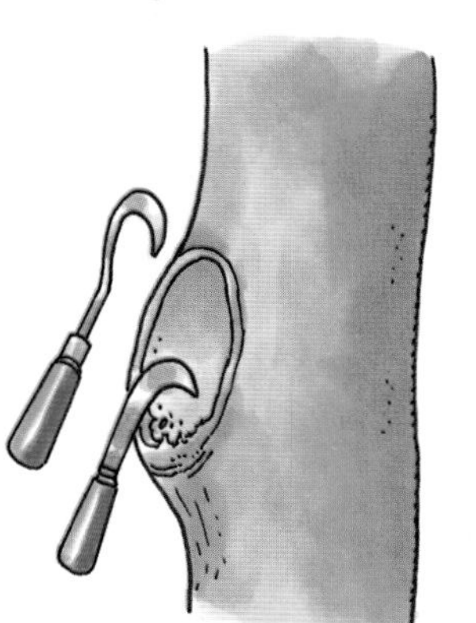

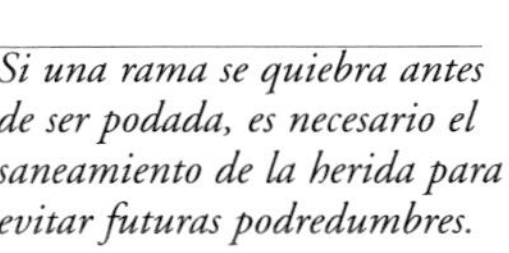

Si una rama se quiebra antes de ser podada, es necesario el saneamiento de la herida para evitar futuras podredumbres.

Injertos

¿HAY ALGUNA FORMA PARA ASEGURAR QUE UN INJERTO DE BUEN RESULTADO?

Existe una primera idea básica, de gran importancia en la preparación del injerto que, en algunos casos, es pasada por alto. Las distintas partes que forman el tallo sólo son capaces de unirse o cicatrizar con las fracciones semejantes que posee el injerto; es decir, cualquier tallo, a grandes rasgos, posee una zona interna de color claro (que sería la médula), una franja más o menos gruesa (conocida como cambium o leño), y una última capa protectora externa (llamada corteza). Cada una de estas tres partes debe estar en contacto con sus correspondientes al realizar el injerto. Para conseguirlo, los grosores del tallo y el injerto han de tener la misma sección, o asegurarse de que, al menos, las franjas correspondientes a la médula, el cambium y la corteza estén en estrecha unión.

¿CON QUÉ ELEMENTOS PUEDO PREPARAR Y REALIZAR UN INJERTO?

Dispone de una serie de utensilios de gran ayuda para conseguir que el injerto agarre y dé los resultados esperados. En primer lugar, necesitará una buena navaja o cuchilla, que deberá estar bien afilada y poseer un mango que facilite los movimientos de la mano. Empléela para dar los cortes, de modo que se acoplen totalmente, tallo e injerto. Así mismo, precisará cuerda de fibra vegetal, como el esparto o la rafia, para atar y mantener unidas las dos partes, cera para injertar, barro (de gran utilidad para cubrir las heridas, mantenerlas húmedas, e impedir el contacto con el aire y el frío) y, por último, algún trozo de cuero, cartón o plástico, para proteger la corteza del tallo de la presión de la cuerda y aislar la herida.

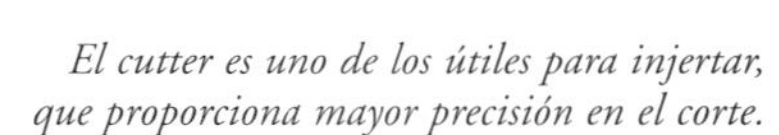

El cutter es uno de los útiles para injertar, que proporciona mayor precisión en el corte.

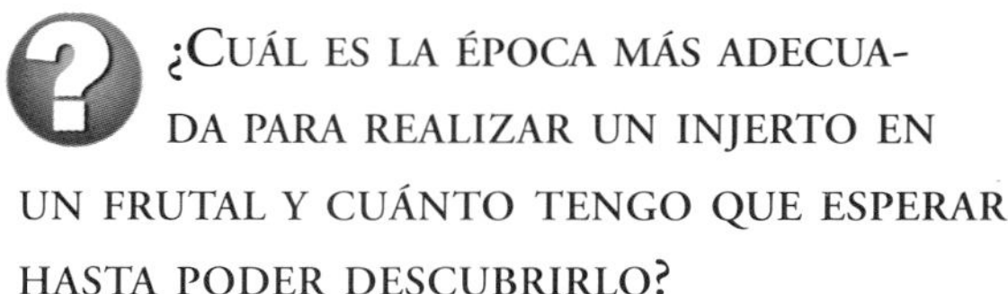

¿CUÁL ES LA ÉPOCA MÁS ADECUADA PARA REALIZAR UN INJERTO EN UN FRUTAL Y CUÁNTO TENGO QUE ESPERAR HASTA PODER DESCUBRIRLO?

Los injertos, en general, deben realizarse en pleno invierno, asegurándose de que la savia esté en funcionamiento, momento en que se darán los cortes a los tallos y se extraerán las estacas. Una vez practicado el injerto, que esté atado y protegido, tendrá que esperar el tiempo adecuado para que el movimiento de la savia asegure su arraigo.

Cuando comiencen a desarrollarse las yemas del injerto,

Los frutales son los árboles a los que mayor número de injertos pueden practicárseles.

espere al menos un par de meses para que la cicatriz termine de cerrarse. Durante la primera temporada, ha de tener mucho cuidado ya que, si el injerto se carga con demasiada fruta, puede ceder la rama y romperse por la cicatriz.

¿QUÉ TIPOS DE INJERTO SE PUEDEN HACER?

El más sencillo de realizar es el injerto directo o por empalme. Para practicarlo, tendrá que dar un corte oblicuo a cada una de las partes, después unirlas y, finalmente, atarlas para evitar deslizamientos, labor que ha de realizarse cuidadosamente, ya que los dos extremos han de tener la misma sección y engarzar de forma casi perfecta. Sólo se practica en algunas especies de rosa y arbustos de tallo verde.

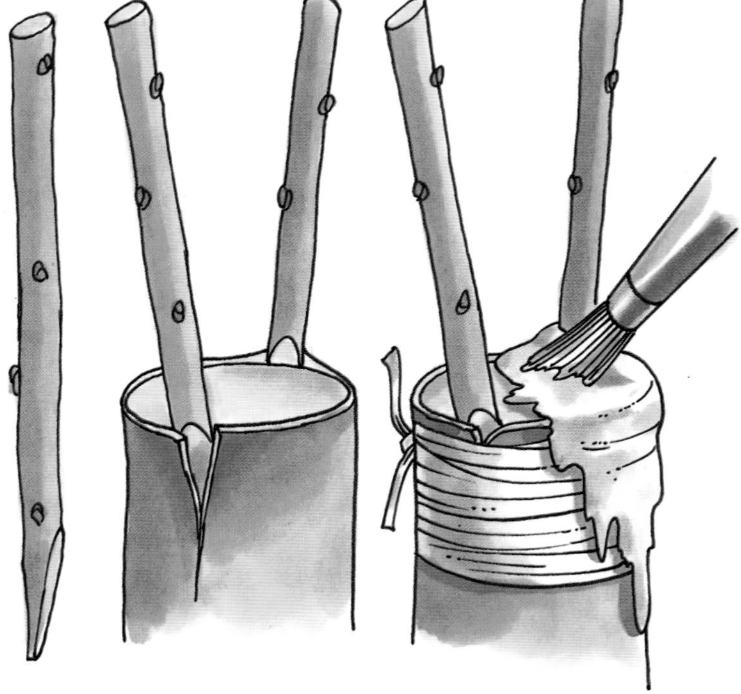

En el injerto de estaca, de hendidura, es importante que el corte termine en una punta afilada para que el cambium o leño quede al descubierto. Ponga especial cuidado en no partirla al introducirla en la herida del injerto. Es necesario proteger y sujetar el injerto hasta que haya agarrado.

Otra forma de injertar es la conocida como injerto en silla, empleado en tallos apicales, como por ejemplo en el rododendron. El injerto consta de dos cortes oblicuos que se unen en el centro y descansan en el tallo, cortado en punta mediante dos secciones simétricas.

Finalmente figuran los injertos de estaca, practicados principalmente en frutales, divididos entre los de hendidura o los de corteza. En este caso, debe dar al tallo un corte longitudinal por el centro, para introducir a modo de cuña dos estacas, una en cada extremo. Si va a practicar el de corteza, tendrá que dar un corte justo entre la corteza y el leño del tallo y, a continuación, introducir una estaca entre ambas partes.

Los injertos, una vez realizados, pueden cubrirse con diversos materiales a fin de protegerlos.

¿CUÁL ES EL INJERTO QUE DA MEJORES RESULTADOS PARA LOS FRUTALES?

La respuesta depende, en cierto modo, de la práctica que tenga quien vaya a realizarlo. En cualquier caso, para personas que lo intenten por primera vez, es recomendable que empleen el que une estaca con corteza sobre una hendidura. El pequeño tamaño de la estaca, y el corte dado justo en la franja donde la savia fluye con más fuerza, facilitarán, sin lugar a dudas, el éxito de la operación, ya que en este caso no es tan necesario realizar perfectamente el corte ni el empalme; basta con preparar una cuña lo suficientemente fina, para que penetre bien en la hendidura.

Transcurridos dos años, la herida del injerto estará practicamente curada, como sucede con este peral.

Materiales de sujeción, separación y sombra

¿DE QUÉ MODO PUEDO AYUDAR A CRECER A UNA TREPADORA, EVITANDO QUE SUS TALLOS LLEGUEN A TRONCHARSE?

Cuando tenga algún ejemplar joven en el jardín y, debido a la fragilidad de sus tallos, pueda troncharse, no le quedará más remedio que reforzarlos mediante el empleo de uno o varios tutores. El material y tamaño de un tutor es muy variable, lo que le permitirá elegir el que más se adecue a sus necesidades. Por ejemplo, los tutores para rosal joven pueden ser de caña, mimbre, fresno e incluso plástico, de un grosor no mayor de 1 cm. En cambio, los destinados a la protección de un frutal han de ser mucho más resistentes, llegando incluso a tener que utilizar tutores metálicos, de hierro o aluminio. Elija el que más le convenga de acuerdo a sus necesidades, y clávelo a la profundidad suficiente para que la planta quede sujeta y protegida.

¿CUÁL ES LA MEJOR FORMA PARA ATAR UNA RAMA Y EVITAR QUE EL NUDO DAÑE LA CORTEZA?

Asociados al uso de los tutores, están los cordeles, cuerdas y lazos, indispensables para mantener atadas y bien sujetas las ramas y tallos de las plantas que lo requieran.

En algunas ocasiones, es posible encontrar un alambre incorporado a la corteza de un tronco debido, posiblemente, a que alguien lo ató cuando la planta era pequeña, olvidando después deshacer el nudo. Con objeto de no perjudicar la planta, procure no utilizar alambre y, si lo hace, revíselo periódicamente a fin de que el metal no provoque estrangulamientos en la normal evolución de ramas o tallos. Si lo desea, emplee cuerdas realizadas en materiales de mayor o menor dureza, según el caso, abrazando sólo con una vuelta la rama para formalizar la unión sobre el tutor, o bien utilice nudos del tipo "prusik", que no es tan rígido como para afectar al crecimiento de la rama, pero que imprime la suficiente presión, evitando que se caiga.

Las vallas metálicas de cierta altura, son uno de los métodos más eficaces para proteger las jardineras de la presencia de animales de compañía.

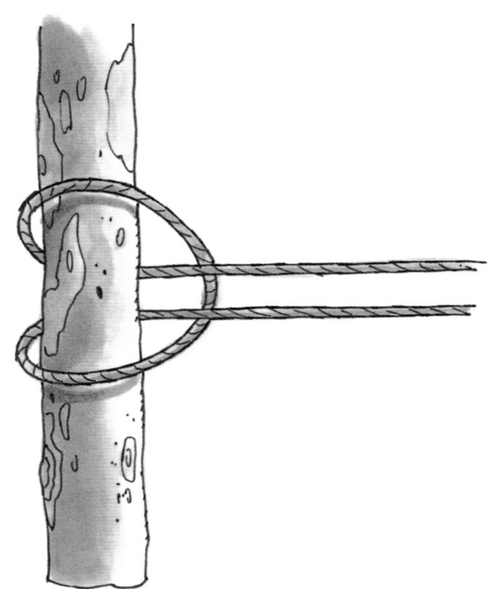

Uno de los nudos más sencillos de realizar y que mejores resultados ofrece en jardinería es el prusik.

ME GUSTARÍA CERCAR LA PARCELA. ¿QUÉ MATERIALES RESULTAN MÁS RESISTENTES Y CÓMO DEBO COLOCARLOS?

Existen varios sistemas para delimitar un terreno, pero el más sencillo es colocar unos pivotes recibidos con cemento y piedras al suelo, unirlos longitudinalmente mediante tres alambres de acero (uno en la parte superior, otro en la media y el último en la inferior) y, finalmente, cubrirlo todo con una malla metálica. Los alambres entrelazados de la malla serán muy útiles para el cultivo de plantas trepadoras que, sin la ayuda de ningún otro elemento de apoyo, podrán crecer y ramificarse, cubriendo en poco tiempo una gran superficie. Plante los ejemplares a un metro de distancia unos de otros para conseguir un seto de escaso grosor, que le aislará del exterior con un hermoso manto de color verde.

¿RESULTA FÁCIL CONSTRUIR UN PASEO, UNA PÉRGOLA O UN ARCO DE ENTRADA AL JARDÍN?

La manera más sencilla de hacer un paseo es mediante el empleo de arcos fabricados en hierro, que pueden ser individuales o dobles, y unidos por pequeñas traviesas intermedias. En el primer caso, tendrá que taladrar los ejes principales a intervalos de un metro de distancia donde unir los arcos a través de un alambre de acero, con objeto de dar apoyo a las ramas que vayan a cubrirlo. Los arcos dobles, además de servir para la creación de paseos, pueden utilizarse para fabricar pérgolas y arcos de entrada, sin necesidad de emplear alambres, ya que, entre los huecos que dejan las traviesas, pueden crecer sin ningún problema las plantas trepadoras y los rosales.

El modo de fijar estos arcos al suelo o a un pilar, es con el empleo de hormigón, o mediante una pletina metálica, soldada a los extremos del arco, y asegurada con tornillos y tacos de gran longitud a la superficie donde vaya a ir colocada.

Para conseguir arcos, en el caso de paseos o pérgolas, sólo es necesario instalar una especie de enrejado metálico que facilitará el crecimiento de las trepadoras.

¿PLANTEAN ALGÚN INCONVENIENTE LAS MALLAS FABRICADAS CON MATERIALES NATURALES COMO EL CAÑIZO O EL BREZO?

El buen aspecto que ofrecen las mallas de cañizo, brezo, o cualquier otro tipo de material de origen vegetal, utilizados para adornar jardines, induce a la mayoría de las personas a emplearlos para vallar paredes, delimitar zonas del jardín o, también, para dar sombra en terrazas. El problema, sin embargo, está en la vulnerabilidad que plantean en algunas situaciones.

El cañizo, por ejemplo, es bueno para producir sombra, pero presenta el inconveniente de que se estropea rápidamente con la humedad. Si es posible retirarlo, recójalo durante la época de lluvias ya que, normalmente, no necesita sombra en otoño o en invierno. Sujételo en los extremos con alambre para luego poder desatarlo con facilidad. El brezo, por el contrario, soporta en gran medida las inclemencias del tiempo, pero tiene la desventaja de soltar continuamente, al menor movimiento, sus pequeñas hojas secas. Evite colocarlo justo encima de la zona donde habitualmente se sientan a comer o cerca de una piscina, si bien es muy útil para dar sombra en praderas de césped o zonas de descanso.

Tenga cuidado en los lugares donde es frecuente que sople el viento con fuerza, debido a que las mallas actúan a modo de parapeto y, si no están fuertemente sujetas, pueden ser arrancadas.

Las enredaderas necesitan un elemento de sujeción para el desarrollo de sus tallos que, además de útil, puede resultar decorativo.

Para delimitar el jardín, emplee mallas de alambre que, posteriormente, servirán como sujeción de las distintas especies.

Obtención de nuevos ejemplares

Con el fin de sujetar el tallo donde se realizará el acodo, ayúdese de un pequeño trozo de alambre.

Transcurridas unas semanas, podrá separar el nuevo ejemplar de la planta madre.

ME HAN DICHO QUE LA HIEDRA SE MULTIPLICA CON FACILIDAD, ¿CÓMO PUEDO HACERLO?

Los acodos simples son un método muy práctico de obtener un nuevo ejemplar de hiedra y, en general, de todas aquellas plantas que emiten raíces adventicias a lo largo de sus tallos. Para obtener una nueva planta, no tiene mas que elegir un tallo joven, que sea vigoroso y disfrute de buena salud, contar con dos trozos de alambre, y una maceta donde realizar el acodo. Escójala del tamaño y forma que más le convenga y rellene con compost hasta el borde, preparando un pequeño agujero. Sitúela tan cerca como sea posible del tallo seleccionado, colocándolo sobre el agujero. Asegúrese de que al menos un nudo permanezca en su interior o, si es posible, un grupo de raíces aéreas. Sujete el tallo con los dos alambres, dispuestos a cada lado del nudo. Cubra con compost y riegue todos los días hasta comprobar que el tallo ha agarrado en la maceta. Entonces, corte el extremo que une el tallo a la planta madre y retire los alambres.

¿ES CONVENIENTE HACER QUE UN ESQUEJE EMITA RAÍCES ANTES DE SER PLANTADO?

Son varias las especies que se reproducen por esquejes de tallo, y algunas las que lo hacen a partir de las hojas. En el primero de los casos, para asegurar el enraizamiento del esqueje de tallo, puede hacer que emita raíces antes de llevarlo al tiesto. A tal efecto, una vez lo haya cortado de la planta madre, machaque ligeramente el corte, para después llevarlo a un recipiente con agua. No permita que el extremo llegue a tocar el fondo y asegúrese de que siempre esté sumergido. Cuando vea que las raíces aparecen, plántelo.

A las especies más leñosas conviene ayudarlas con hormonas de enraizamiento (en polvo o en gel), impregnando el extremo cortado previamente a introducirlo en agua, o antes de plantarlo directamente sobre compost muy húmedo, con objeto de lograr que aparezcan las raíces.

¿CÓMO SE PUEDE REALIZAR LA DIVISIÓN DE PIE DE MATA?

Esta técnica de multiplicación es muy sencilla de llevar a cabo, y le permitirá conseguir tantos ejemplares como desee, de la manera más rápida y menos traumática para la planta. Sólo puede practicarse con especies que no tienen un tallo principal, sino que son matas con gran número de tallos, tales como la hortensia, el bambú, etc., ni tampoco es posible realizarla con plantas que sólo tienen una raíz principal.

Necesariamente ha de llevarse a cabo con ejemplares cuyo sistema radicular esté formado por gran cantidad de pequeñas raíces, agrupadas en una especie de maraña. El momento más apropiado para dividir la mata es haciéndolo coincidir con un trasplante, pero si no lo necesitase, aproveche el final del invierno para realizarlo. Desentierre un poco la base de los tallos y, empleando una pala, corte la mata por el lugar que

Espere a que el esqueje produzca las primeras raíces para proceder a su trasplante.

La hortensia es una de las especies que puede ser propagada a partir de la división de pie de mata.

crea oportuno, si desea obtener varios ejemplares a la vez. Compruebe que el corte lleva tallos, con su correspondiente grupo de raíces. Emplee un simple cuchillo si lo que quiere es sólo una nueva planta, sin reducir en exceso el tamaño de la planta madre. Acondicione nuevamente el terreno y trasplante con rapidez.

¿PUEDO OBTENER NUEVOS EJEMPLARES A PARTIR DE LOS ESTOLONES QUE EMITE UN FRESAL?

Los tallos de gran longitud que apenas tienen hojas, en cuyo extremo dan lugar a una especie de pequeña plantita, tal como ocurre con el fresal, se conocen con el nombre de estolones, siendo capaces de producir nuevas matas, si se les ofrecen las condiciones adecuadas, que no son otras que la existencia de un espacio donde pueda crecer el nuevo ejemplar.

De los lugares donde crecen las plantas con mayor vigor y fortaleza, podrá extraer los nuevos ejemplares.

Si lo que le interesa es emplazar alguno de los nuevos ejemplares en maceta independiente, no tiene más que llenarla de compost y enterrar superficialmente una de estas plantitas que crecen en los estolones. Sujete el conjunto con un alambre que actúe a modo de grapa a fin de que no se desentierre. No lo corte hasta que haya enraizado en el nuevo lugar.

¿CÓMO DEBERÍA SEMBRAR LAS SEMILLAS PARA CONSEGUIR NUEVAS PLANTAS?

Bien porque el frío impida la siembra de semillas directamente en el exterior, o por el problema que supone el lento crecimiento de las plantas anuales, hasta que son capaces de producir flores, el jardinero se ve obligado a preparar los semilleros y proteger los plantones, a la espera de un clima más benigno. Para iniciar el cultivo en semillero, la técnica más aconsejable consiste en distribuir las semillas, en principio sobre una bandeja y, una vez emergen los pequeños tallos, trasladarlas a departamentos individuales hasta conseguir el tamaño adecuado. Prepare una bandeja de unos 5 cm de profundidad, aproximadamente, con compost para plantas de interior, y esparza las semillas de forma homogénea sobre la superficie. Cúbrala con una fina capa de compost, manteniéndola siempre húmeda y expuesta al sol. Cuando germinen las semillas y las plantitas alcancen un mínimo de crecimiento, trasplántelas a pequeñas macetas para permitir su desarrollo, hasta que los primeros capullos florales comiencen a aparecer, momento en que las plantas pueden ser llevadas al jardín.

Jardín acuático

¿RESULTARÍA COMPLICADO INSTALAR YO MISMO MI PROPIO ESTANQUE?

Usted mismo puede construir su estanque sin necesidad de recurrir a ningún instalador, puesto que resulta una tarea muy sencilla y gratificante. En principio, necesita realizar un agujero, o apilar rocas con el fin de elevar el terreno. En cualquiera de los casos, tendrá que conseguir la profundidad de agua necesaria, siendo unos 40 cm buena medida. Procure mantener siempre el mismo nivel a lo largo de toda la orilla, dado que resulta imprescindible para evitar desbordamientos y obtener así una superficie uniforme.

A continuación proceda a instalar el fondo y, si se decide por la lámina de plástico flexible, sitúe por debajo la malla de protección. Puede colocar en distintos lugares del fondo alguna piedra o bloque de cemento para crear varias alturas dentro del mismo, lo que le proporcionará mayor atractivo. Una vez finalizado, llénelo de agua hasta alcanzar el nivel deseado. Sujete todo el borde con algunas piedras y recorte el resto de la lámina, dejando al menos 30 cm de margen.

Tras estas sencillas operaciones, introdúzca las plantas y cubra el borde, adornándolo con pizarras o cualquier otro elemento que le resulte atractivo.

La distribución de las plantas y la elección de las especies, servirán para ensalzar su atractivo.

El suelo ha de estar libre de piedras para no dañar la estructura. Sitúe una tabla recta de lado a lado y utilice un nivel de burbuja para asegurarse del correcto nivelado

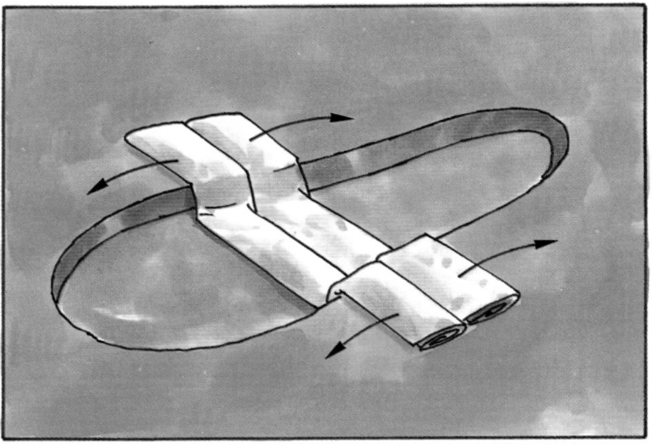

Extienda la lámina de plástico, del centro hacia los lados.

Llénelo de agua hasta el nivel deseado.

Recorte los bordes sobrantes.

¿QUÉ ZONA DEL JARDÍN ES LA MÁS ADECUADA PARA UBICAR UN ESTANQUE?

En este punto, como en otros casos relacionados directamente con la decoración, interviene el gusto y criterio de quien lo va instalar. Sin embargo, es conveniente sopesar con anterioridad determinados elementos para obtener un resultado mejor. En muchas ocasiones se busca un lugar plano y céntrico del jardín, para dar mayor protagonismo al estanque y, de paso, evitar las molestias propias de cualquier trabajo extra.

En caso de que desee un estanque que se salga un poco de lo convencional, o darle un toque de originalidad, no tendrá que recurrir a complicadas obras de ingeniería, ni a gastar demasiado dinero; será suficiente con buscar un lugar del jardín donde quede resaltada su belleza.

Los rincones del jardín donde ha crecido la hiedra, la cercanía a un tronco seco que adorna la pradera, o el borde de un grupo de grandes piedras que ya están instaladas, pueden ser una estupenda elección, aunque también resulta un buen lugar el borde de la terraza, desde donde, con otra perspectiva diferente, podrá observar el estanque. Es de gran importancia colocar el jardín acuático allí donde pueda ser contemplado desde distintas perspectivas, lo que supondrá un agradable estímulo para la vista.

¿QUÉ ELEMENTOS NECESITO PARA EL ESTANQUE Y CÓMO PUEDO PLANIFICARLO?

Una vez haya elegido el lugar donde va a situar el estanque, dibuje en un papel lo que pretende conseguir como resultado final, anotando la profundidad, tamaño, forma y tipo de plantas que va a cultivar.

Cuando lo tenga definido, tendrá que procurarse los materiales necesarios. Para el fondo puede elegir entre materiales plásticos (como son las láminas flexibles o los estanques rígidos), o los construidos con cemento y piedras. La primera opción es más sencilla de instalar, mientras que la segunda proporciona un resultado más duradero y un aspecto más natural. Seguidamente, tendrá que preparar las cestas para sumergir las plantas, las piedras y demás elementos de decoración, así como proyectores subacuáticos, para poder iluminarlo por la noche, bombas de succión, para crear cascadas, y filtros biológicos purificadores de agua. Para los estanques fabricados con láminas de plástico, resulta muy útil el uso de mallas protectoras, que resguardan el fondo y las paredes contra los desperfectos causados por piedras y otros elementos cortantes.

En el estanque, tambien cabe la posibilidad de incluir simpáticos motivos ornamentales.

La cala, en la época de floración, nos deleita con sus bellas y voluminosas flores blancas.

QUERRÍA CONOCER ALGO MÁS SOBRE PLANTAS ACUÁTICAS Y DÓNDE COLOCARLAS. ¿CUÁLES SON SUS CARACTERÍSTICAS?

La correcta ubicación de las plantas acuáticas supone, sin lugar a dudas, un elemento básico para su adecuado desarrollo. A continuación figuran algunas de las más conocidas y sus requerimientos.

Azolla carolliniana: Helecho acuático. Helecho de pequeñas dimensiones, capaz de cubrir toda la superficie. Es una planta flotante y con el frío adquiere un tono rojizo muy bello.

Cyperus alternifolius: Papiro. Planta semiacuática, que posee gran cantidad de atractivas hojas estrechas, con flores poco llamativas y agrupadas en una especie de inflorescencia, en forma de sombrilla. Debe ser cultivada en los bordes, sin llegar a estar sumergida.

Iris pseudacorus: Lirio amarillo. Es la clase de lirio que encontramos en los estanques o viviendo libremente en cualquier borde de río o charca. Prefiere los lugares soleados y no requiere gran profundidad.

Iris sibirica: Lirio acuático. Produce una gran cantidad de hermosas flores violeta y florece en primavera. Necesita poca profundidad.

Lemna sp.: Lenteja de agua. Pequeñísima planta flotante cuyas hojas tienen el aspecto de una verdadera lenteja. Es flotante y su principal atractivo radica en que cubre la superficie con un bonito manto de color verde.

Myriophyllum verticillatum: Filigrana menor. De aspecto frágil y hojas muy finas, adorna el interior del estanque, donde vive sumergida. Es una planta oxigenante y puede estar en estanques muy profundos.

Nymphaea sp.: Nenúfar. Sus hojas flotantes, redondeadas y escotadas persisten a lo largo de todo el año y, en verano, aparecen las flores de muy intenso color; los más característicos son el blanco, amarillo y rosa. Tiene que estar en lugares soleados y sus raíces deben permanecer en el fondo, como máximo a 150 cm.

Pistia stratiotes: Lechuga de agua. Planta flotante de gran desarrollo, no ofrece flores llamativas pero, por otro lado, al necesitar gran cantidad de nutrientes, actúa como planta oxigenante. Requiere lugares soleados y poco profundos.

Zantedeschia aethiopica: Cala. Florece a mediados de primavera mostrando unas grandes flores con forma de embudo y color blanco. No necesita gran profundidad, pero ha de estar sumergida.

¿NECESITO HACER ALGO ESPECIAL PARA INTRODUCIR LAS PLANTAS EN EL AGUA?

Para conseguir que el agua del estanque no se enturbie, ni quede el fondo lleno de compost o elementos que no producirían más que la aparición de algas verdes, es necesario introducir las plantas en el interior de cestas de plástico convenientemente protegidas.

A tal objeto, deberá adquirir las cestas, o fabricarlas usted mismo, cosiendo un trozo de malla de plástico, en forma de recipiente. Una vez tenga las cestas en su poder, introdúzca un trozo de tela, emplazando en su interior el cepellón de raíces con su correspondiente compost. Procure no llenar el recipiente hasta el borde ya que, a continuación, es necesario cubrir el compost con la tela que sobresale, y una capa de chinas o pequeñas piedras. Esta operación impide que el agua disuelva el compost, o se salga fuera, y facilita que la cesta permanezca sumergida en el fondo porque, en algunos casos, al tener poco peso, puede quedar flotando. Si la medida no fuese suficiente, no dude en colocar más peso a fin de obtener la estabilidad necesaria.

¿QUÉ PUEDO HACER PARA MANTENER MI ESTANQUE EN BUENAS CONDICIONES?

Para lograr que el estanque se mantenga limpio y libre de algas, al menos en la medida de lo posible, tendrá que dedicarle unos pequeños cuidados.

Como primera medida, debe limpiar con agua todos los materiales que vaya a introducir en su interior, tales como piedras, macetas, cestas, etc., con el fin de que no despidan tierra. Recuerde que el compost de las macetas debe estar protegido para que no pueda salirse de las mismas.

Del mismo modo, es necesario que el borde del estanque esté bien rematado, sea firme y evite la caída de objetos. Limpie a menudo la superficie de hojarasca, antes de que llegue al fondo. Es conveniente que utilice filtros biológicos para purificar el agua y reducir el número de algas en el interior. Si en algún momento tiene que renovar el agua, aproveche para realizar una limpieza de las paredes.

¿ES NECESARIO ABONAR LAS PLANTAS ACUÁTICAS?

Las plantas acuáticas, al igual que el resto, necesitan nutrientes para crecer y desarrollarse, siendo imprescindible suministrárselos periódicamente. Tenga en cuenta que no debe distribuir el abono directamente sobre el agua, puesto que puede provocar la espontánea proliferación de algas.

Con objeto de conseguir una eficaz y limpia fertilización de las plantas, conviene que extraiga los ejemplares del estanque. De esta forma, podrá realizar cualquier cambio de maceta, compost o adición de abono más cómodamente. Emplee

El lirio amarillo es una de las especies silvestres que, por su hermosura, ha sido introducida en la jardinería.

Una forma original de crear una fuente en un estanque, es incorporando cualquier elemento decorativo, como puede ser una tinaja de barro.

abono sólido, a base de compost de origen vegetal, barritas de abono sintético y cenizas. Los síntomas de carencia de nutrientes más comunes, se manifiestan por un crecimiento ralentizado, o una floración pobre o tardía.

¿PUEDO REGENERAR EL OXÍGENO DEL ESTANQUE DE UNA FORMA SENCILLA?

Resulta muy sencillo que el agua del estanque esté lo suficientemente oxigenada, favoreciendo la proliferación de plantas tan beneficiosas como, por ejemplo, la filigrana menor o la lechuga de agua (plantas capaces de renovar el oxígeno del agua).

Por otra parte, ha de tener controlada la presencia del helecho acuático y de la lenteja de agua ya que, si llegaran a cubrir toda la superficie, evitarían que la luz penetrase en el interior del estanque, impidiendo el crecimiento de las plantas sumergidas, como es el caso de la filigrana menor.

Otro método para conseguir la oxigenación consiste en la instalación de una bomba de agua, que cree un circuito abierto, incorporando periódicamente una pequeña cantidad de agua procedente del exterior.

¿CÓMO SE CREA UNA CASCADA PARA DOTAR AL ESTANQUE DE UN FLUJO DE AGUA CONSTANTE?

Existen motores de agua de todos los tamaños y potencias, preparados para dotar al estanque de una corriente de agua continua, o mantener una pequeña cascada con un salto de agua.

Si es ésta su intención, deberá ubicar en el estanque un agujero de desagüe, unido por una tubería a la bomba de agua, que la reconducirá de nuevo al interior. Puede obtener un resultado muy atractivo aprovechando un desnivel del terreno, construyendo dos estanques unidos por un salto de agua o un pequeño torrente.

Otra alternativa, indudablemente decorativa, pasa por crear una fuente para la entrada del agua, cubriendo la cañería con piedras, obteniendo un efecto de manantial.

La flor del papiro, con sus delicadas formas, llena de exotismo el interior del estanque.

Las bombas de agua en el interior del jardín acuático consiguen el flujo necesario, para imprimirle movilidad.

Ciertas especies cultivadas en los márgenes del estanque, romperán la geometría del mismo, aumentando su atractivo.

Decoración con piedra y madera

NECESITO UNA CASETA PARA GUARDAR LAS HERRAMIENTAS. ¿PUEDO FABRICARLA SIN DEMASIADAS COMPLICACIONES?

Si no dispone de garaje o del espacio necesario para guardar las herramientas, pero su jardín es amplio y espacioso, puede plantearse la construcción de una caseta de madera, que le resultará muy útil, a la vez que decorativa. Recuerde que existen casetas prefabricadas, con unas dimensiones ya establecidas pero, si no le interesa esta opción y es habilidoso con la madera, cuenta con la posibilidad de fabricarla a su gusto y con las dimensiones que desee. Seleccione la zona del jardín que le resulte idónea para su instalación y proceda a preparar el suelo, dando una buena cimentación y nivelándolo

Mediante el empleo de distintos elementos rústicos de madera, realzará el atractivo de ciertos rincones del jardín.

El cultivo de plantas de temporada en el interior de un tronco hueco, aporta un toque de originalidad al jardín.

adecuadamente. Realice un dibujo a escala con las medidas de la caseta, marcando huecos de puerta y ventanas. Encargue un armazón de hierro con las dimensiones elegidas y, una vez instalado, píntelo para evitar su oxidación.

Cuando esté fijado en su lugar, proceda a cubrir las paredes con láminas de madera atornilladas al armazón (que podrá encontrar en cualquier almacén de madera). Realice la techumbre con algunos de los distintos elementos de protección disponibles en el mercado, como por ejemplo tela asfáltica, uralita o láminas de madera tratada. La puerta y la ventana, tras fabricar y atornillar sus respectivas molduras, se recortan a medida, pudiendo revestirlas con las láminas empleadas en la construcción de las paredes. También necesitará bisagras, pernios, y picaportes que podrá adquirir en cualquier ferretería. Para concluir, debe dar varias capas de barniz especial para exteriores a todo el conjunto, que servirán de protección a la madera, y sellar con silicona las juntas de las ventanas y puertas. Terminada la construcción de la caseta, sólo le falta incorporar estanterías en los lugares que le resulten más prácticos, e introducir las herramientas.

¿CÓMO PUEDO CREAR UN PASEO DE PIEDRA SOBRE UNA PRADERA DE CÉSPED?

La forma más sencilla pasa por colocar las piedras directamente sobre la pradera, con lo que sólo tendrá que recortar a medida los espacios que vayan a ocupar las piedras. Conseguirá un bonito efecto dejando entre medias una pequeña franja de césped, que le dará un aspecto más natural. Es aconsejable colocar una capa de grava debajo de cada piedra, para que adquieran mejor apoyo.

Otra alternativa consiste en cubrir todo el paseo utilizando cemento. Es más duradera y da mejores resultados, aunque resulta algo más complicada y costosa. Calcule los metros de paseo que desea cubrir, siendo la anchura más apropiada, como término medio, de 1 m. Compre cemento, arena de río, y las piedras que vaya a utilizar, teniendo en cuenta que han de ser tan planas como sea posible. Elija forma, tamaño y tipo de piedra que quiera emplear, dependiendo de su gusto personal.

Para comenzar, ha de marcar el suelo con el recorrido, levantar el césped, nivelar el suelo y compactarlo al máximo posible. Si no quedara lo suficientemente rígido para proporcionar un buen soporte al futuro paseo, tendrá que echar una primera capa de cemento mezclada con grava, y esperar a que esté seca. A continuación comience a cubrir la superficie piedra a piedra, fijándolas con cemento. Para evitar irregularidades, es conveniente marcar con anterioridad el nivel y la altura que debe alcanzar, utilizando para ello un par de estacas colocadas a ambos lados del paseo, unidas por un cordel que indique la línea a seguir. No permita que la zona que vaya terminando se seque con rapidez; humedezca el cemento antes de que llegue a secarse por completo, al menos durante las próximas 48 horas.

¿QUÉ TIPO DE PIEDRAS SON LAS MÁS EMPLEADAS EN JARDINERÍA?

Se emplean distintos tipos, dependiendo del uso que quiera darles. Por ejemplo, para fabricar jardineras o delimitar setos y árboles, puede utilizar rocas de granito o rocas calizas, preferiblemente de tamaño medio, alargadas pero no excesivamente estrechas. Pueden ir unidas con cemento o simplemente colocadas sobre el suelo.

Para adornar praderas o crear un ambiente de rocalla, emplee piedras de mayor tamaño y con un aspecto más llamativo, situando siempre el lado de mayor atractivo hacia la parte externa. Los materiales más utilizados para la creación de paseos, son la pizarra, la cuarcita, el granito y el terrazo (aunque éste es un material artificial). Conviene que todos sean de escaso grosor y tengan la superficie más o menos regular.

¿CÓMO PUEDO PRESERVAR DE LA HUMEDAD EL INTERIOR DE LAS JARDINERAS DE MADERA?

Con el riego diario, el interior de las jardineras acaba por pudrirse. Aunque esta situación puede llegar a producirse al cabo de varios años, es preferible prevenir a fin de mantener este bonito elemento decorativo durante más tiempo. Asegúrese de que la jardinera posee un buen sistema de drenaje y, si no lo tuviese, utilice una taladradora para hacer un par de agujeros en el fondo. Barnice a continuación toda la superficie, con un barniz especial para exteriores, dando varias capas y esperando hasta que estén totalmente secas. Procúrese un trozo de plástico resistente (especial para invernaderos), córtelo a la medida de la jardinera, ponga un poco de barniz alrededor de los agujeros de drenaje y sitúe el plástico en el interior. Fije el borde con una grapadora y el fondo al barniz, y corte con una cuchilla el plástico, sobre los agujeros de drenaje, para liberarlos, colocando encima unos trozos de ladrillo. Una vez ajustado, puede añadir el compost y plantar lo que más le guste. Cuando vaya a cambiar el compost, podrá extraerlo junto con el plástico, que también tendrá que sustituir por uno nuevo.

¿ES POSIBLE AISLAR DE LA HUMEDAD LA MADERA QUE ESTÁ EN CONTACTO CON EL SUELO?

La madera es un material muy atractivo, pero también muy delicado con el agua. En la actualidad, cada vez está más generalizado su uso y, a los típicos troncos huecos utilizados como jardineras y las fabricadas con ramas de pino, se han sumado las traviesas de las antiguas vías de tren y los trozos de troncos secos, para decorar con trepadoras y plantas de rocalla las praderas y jardines.

Si quiere mantener más tiempo preservado de la putrefacción este material, dispone de un par de medidas muy sencillas de llevar a cabo.

Puede optar por preparar una base donde apoyar la madera a fin de que no esté en contacto directo con el suelo húmedo, fabricándola simplemente con cemento o empleando piedras para conseguir un conjunto de mayor atractivo. Tenga la precaución de dejar un pequeño zócalo donde no pueda acumularse el agua.

La otra posibilidad consiste en impregnar toda la base con alquitrán, dándole varias capas, y esperar a que esté completamente seco, para luego enterrarlo. Existe la posibilidad de combinar ambas técnicas, obteniendo así mejores resultados.

El resultado final que obtenga al realizar una casita de madera, dependerá de su imaginación y habilidad.

Heladas y nieve

¿DE QUÉ FORMA ES CONVENIENTE PROTEGER LOS SEMILLEROS DE LAS HELADAS?

Por problemas de espacio, a menudo el aficionado mantiene los semilleros en el exterior hasta que llega el momento de trasplantar, aunque, si da la casualidad de que las temperaturas descienden bruscamente hasta el punto de helada, o cae una repentina tormenta de granizo, corre el riesgo de perder todos los ejemplares. Para evitar desagradables sorpresas, es conveniente que proteja adecuadamente las semillas hasta que germinen. Elija el lugar más resguardado del jardín y, por supuesto, la zona más soleada. Consiga un cristal (o una ventana que no tenga ya utilidad), y prepare con ladrillos cuatro pilares que coincidan con sus esquinas, colocando el cristal sobre los mismos, con el fin de crear una especie de techo, debajo del cual instalará el semillero. Mediante este procedimiento, el sol llega hasta las plantas, pero ni el frío ni una intensa lluvia podrán dañarlas.

La mayoría de las plantas de temporada son sensibles a cualquier helada, por esporádica que sea.

TENGO VARIOS BULBOS PLANTADOS EN EL JARDÍN Y NO VOY A DESENTERRARLOS EN INVIERNO. ¿TENGO QUE TOMAR ALGUNA PRECAUCIÓN?

La técnica conocida con el nombre de acolchado, sirve para proteger los bulbos y cualquier otro tipo de planta de cierta fragilidad, que podrían ser dañadas durante el periodo de heladas o bien por el efecto de una nevada intensa.

Simplemente necesita hacerse con cualquier material de origen vegetal que actúe como aislante, siendo los más empleados la paja, las hojas de helecho, las cortezas de pino o los restos de césped segado. Emplee cualquiera de estos elementos, cubriendo la planta en cuestión, o la superficie de suelo donde se encuentran los tubérculos, bulbos o rizomas que desee preservar. Es preciso que delimite la zona, bien para evitar que el viento pueda levantar el acolchado, o para prevenir que en un descuido sea pisada. Ayúdese mediante el empleo de una pequeña malla que rodee esta superficie, sujeta al suelo con unas piquetas.

¿EXISTE ALGUNA MEDIDA PREVENTIVA ANTE LAS INCLEMENCIAS CLIMATOLÓGICAS PARA PEQUEÑOS ARBUSTOS Y PLANTAS DE TEMPORADA?

El hielo y la nieve no sólo produce desperfectos en las plantas que ya han desarrollado sus yemas o tienen las primeras hojas y flores, sino que también puede dañar a otros ejemplares que, aún siendo resistentes al frío, acaban de ser trasplantados o padecen alguna enfermedad.

Una tormenta de granizo, cuando la fruta ya está formada, produce daños que perjudican su aspecto.

Con objeto de paliar posibles daños, es necesario preparar algún tipo de estructura que actúe a modo de cubierta. Si la solución ha de servir para solventar una previsible nevada, consiga unas ramas de conífera lo suficientemente grandes y apóyelas formando una especie de caperuza sobre la planta, con lo que evitará que el peso de la nieve dañe los tallos y el hielo queme los brotes.

En caso de que le interese mantener la protección durante todo el período de heladas, prepare cuatro estacas de madera y clávelas alrededor de la planta, formando un cuadrado. Una los cuatro vértices con una cuerda o alambre y ate sobre esta estructura cualquier material aislante, tal como un grupo de ramas entrelazadas, un trozo de malla, etc.

¿Tengo que cultivar necesariamente las plantas más sensibles en maceta?

Una medida que con frecuencia se pone en práctica es la de cultivar las especies más vulnerables directamente en macetas, que luego pueden ser introducidas en el invernadero o en el interior de una terraza acristalada. Esta es una tarea que llevan a cabo los cultivadores que viven en regiones de inviernos muy fríos, con plantas tales como el geranio, la alegría, la buganvilla, la flor de Pascua, el sagú, las distintas especies de helecho, etc.

Generalmente, para facilitar el transporte y por una simple cuestión de peso, estas especies son cultivadas en tiestos de plástico, impidiendo, al propio tiempo, la posible rotura producida por inevitables golpes y caídas.

Si la estética le preocupa a la hora de preparar el jardín, puede hacer desaparecer las macetas de una manera muy sencilla, sin tener que recurrir a trasplantarlas. Entiérrelas sin ningún reparo; los curiosos le preguntarán cómo es capaz de cultivar estas especies en un clima tan variable...

¿Hay alguna forma de proteger las ramas de árboles jóvenes del peso de la nieve?

Los árboles, palmeras y arbustos con dos o tres años de vida, poseen unas ramas de escasa rigidez, como ocurre en el caso del ciprés, la palmera datilera, la arizónica, el laurel y la aralia del Japón. Esta situación hace que la planta se encuentre en clara desventaja, ante la fuerza del viento o el peso de la nieve.

A fin de contrarrestar este eventual problema, ha de poner en práctica una serie de medidas de prevención, sin las cuales la planta correría cierto peligro. En el momento en que crea que existe riesgo de nevada, consiga una cuerda resistente y reagrupe las ramas laterales en dirección al tronco, especialmente las que crecen hacia arriba, ya que serán las que más sufrirían el exceso de peso. Después de la nevada, intente sacudir la copa, que sin duda estará inclinada por la nieve. Tenga en cuenta que si la rama principal permaneciese demasiado tiempo en esa posición, podría resultar seriamente dañada.

Los nuevos tallos que aparecen en primavera, son muy vulnerables al frío intenso, llegando incluso a quemarse.

Hay plantas como, por ejemplo, la uña de gato, que soportan con un mínimo de protección las bajas temperaturas.

Sombra y sol

¿DÓNDE DEBEN ESTAR SITUADAS LAS PLANTAS DE SOMBRA?

Existe un buen número de plantas que necesitan sombra o que, al menos, se ven favorecidas si son cultivadas fuera del alcance de los rayos directos del sol. Estas especies resultan muy sensibles a la insolación y, además, requieren un ambiente constantemente húmedo. Entre las más conocidas, destacan las azaleas, algunas especies de helecho (como el culantrillo de pozo o el helecho real), arbustos de tamaño medio (camelia y rododendron), plantas de pequeño tamaño (alegrías, ranúnculos y aros), o aquellas que soportan cierta insolación pero que, a largo plazo, son vulnerables a la misma, como sucede con las hortensias y la aralia del Japón.

Para procurarles este tipo de condiciones, ha de elegir entre dos soluciones distintas. Una consiste en llevarlas a un lugar orientado al norte y protegido del alcance de los rayos solares, donde el ambiente húmedo está prácticamente asegurado. La otra posibilidad pasa por facilitarles, mediante la colocación de árboles de bajo porte y arbustos, un lugar dentro del jardín que, aún estando orientado al sur, tenga la suficiente sombra. En este caso, los riegos han de ser más frecuentes.

QUISIERA CONTAR CON UNA ZONA DE SOMBRA EN EL JARDÍN. ¿CÓMO TENGO QUE PLANIFICARLA?

Existen varias formas de preparar una sombra para el jardín y la más sencilla, aunque también resulta la más tardía en dar buenos resultados, es plantando un buen árbol en un lugar estratégico. Las especies que mejor sombra producen son el sauce, el castaño de indias, el nogal, el plátano, etc., por tratarse de árboles con grandes hojas o que las poseen en mayor número. Ha de tener en cuenta que puede elegir si quiere una sombra sólo para el verano o para todo el año, ya que algunos de los árboles de sombra son de hoja caduca, resultando idóneos para plantar cerca de las ventanas de la casa, puesto que reducen el calor en verano, pero permiten que el sol caliente en invierno. Los de hoja perenne, independientemente de proporcionarle sombra todo el año, porque no pierden las hojas, pueden ser muy útiles para proteger de temperaturas extremas a otras especies más delicadas que vivan bajo su copa.

Los claros existentes entre los árboles del jardín, pueden ser aprovechados para el cultivo de plantas de temporada.

¿EN QUÉ LUGAR DEBO PLANTAR UN FRUTAL PARA ASEGURARME UNA FRUTA DE CALIDAD?

Para efectuar una poda de sombra, corte el ápice del tronco cuando éste haya alcanzado al menos dos metros de altura. Luego, pode el ápice de las tres o cuatro ramas laterales.

Repita la operación los siguientes años.

Mantenga el tronco libre de brotes jóvenes.

Este tipo de plantas que están destinadas a la producción o el aprovechamiento desde el punto de vista culinario, han de situarse siempre en un lugar privilegiado del jardín, donde puedan recibir más cantidad de sol. Esta ubicación favorece el crecimiento de la fruta, puesto que el sol representa la fuente principal de energía para su desarrollo.

Si en algún momento decide reducir el número de piezas de fruta que tiene el frutal, porque cree que hay demasiadas o le interesa recoger menos pero con mayor peso, elimine aquellas que se encuentran hacia el interior de la copa del árbol, cubiertas por las hojas ya que, cuanta más cantidad de sol reciban y más libres de sombra estén, antes madurarán.

Las plantas de sombra son especies sensibles a los rayos del sol, necesitando, además, un buen grado de humedad para su desarrollo.

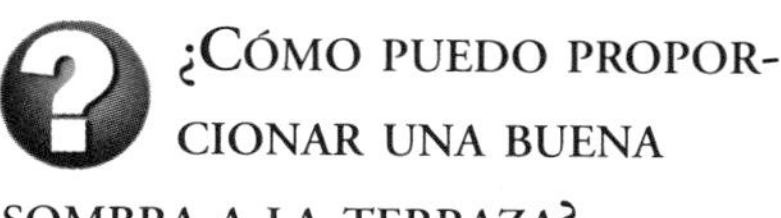

¿CÓMO PUEDO PROPORCIONAR UNA BUENA SOMBRA A LA TERRAZA?

Antes de pensar qué emplear para dar sombra a una terraza, tendrá que preparar una estructura de soporte para que pueda ser fijada correctamente, encaminada a impedir que el viento o el propio peso del follaje pueda vencerla. Si lo que pretende es disfrutar de una instalación que perdure a lo largo de los años, prepare un armazón de hierro, colocando unos pilares y unas vigas en líneas paralelas, con unos tubos de sección rectangular, de por ejemplo, 2 x 3 cm. Suéldelas por los extremos y reciba de cemento los pilares en el suelo. Para cubrir el espacio que queda libre entre una y otra, realice unos taladros en línea y únalos con alambre de acero.

¿ES POSIBLE FABRICAR UNA SOMBRILLA PARA EL JARDÍN?

Si desea tener una pequeña sombrilla sobre la pradera de césped y no le convencen las que suministran los comercios, puede fabricarla de forma original y sencilla. Consiga un tronco de madera de unos 2,5 m de altura y un diámetro de unos 10 cm, y encargue a un cerrajero que le prepare un armazón de hierro, formado por una caperuza y cinco radios de 1 m de longitud, unidos entre si por unos travesaños del mismo material.

Cuando lo tenga a su disposición, refuerce los entrerradios con un alambre de acero y, finalmente, cúbralo con una malla de brezo que usted mismo habrá podido fabricar. Otra posibilidad consiste en utilizar hojas de palmera fuertemente atadas. Introduzca el mástil en la caperuza y entierre el otro extremo como mínimo a 40 cm de profundidad, asegurándolo con piedras en los laterales, que luego cubrirá con los cepellones de césped arrancados.

Si construye con vigas ligeras de madera o hierro una estructura de soporte, podrá dotar a la terraza de una buena sombra.

Las zonas del jardín sobre las que el sol ilumina durante más horas, sirven para el cultivo de especies como el bambú.

Plagas

¿CÓMO DEBO COMBATIR A LA PROCESIONARIA DEL PINO?

Esta oruga de sospechoso aspecto y aviesas intenciones, ataca a los pinos, donde puede descubrirse su presencia por la existencia de unos grandes nidos de seda de color blanco, que están fuertemente sujetos a las ramas.

Para eliminarlos, es preciso cortar la rama completa y quemarla ya que, de lo contrario, las orugas regresarían de nuevo a otro pino. Tenga presente que cuanto antes realice esta operación, menos posibilidades tendrán estos urticantes animalitos de multiplicarse e infectar a otros ejemplares cercanos. Cuídese de no tocar a ninguna oruga, debido a que los pelos que cubren su cuerpo son irritantes, afectando en gran medida a la piel y mucosas.

¿QUÉ PUEDO HACER PARA ELIMINAR LOS PULGONES?

Estos pequeños animales están presentes en la mayoría de las plantas del jardín, como rosales, frutales, etc, así como en las hortalizas, si dispone de un pequeño huerto.

Para prevenir su aparición, tendrá que asegurarse, en primer lugar, de que el jardín no tenga ningún hormiguero, ya que las hormigas son el modo principal de dispersión que tienen estos insectos. Elimine las malas hierbas, donde casi siempre están presentes, e impregne la base de los tallos con algún repelente para dificultar su penetración. Si con estas medidas no fuese suficiente, vigile el envés de las hojas y los nuevos brotes, con objeto de descubrir lo antes posible su presencia. Una vez los haya detectado, necesitará de la ayuda de algún insecticida, a ser posible de origen natural, como el pelitre o la rotenona, para rociar las partes afectadas y aquellas otras que todavía no lo están. En caso de que la infección fuese excesiva, no dude en podar las zonas más dañadas, retirándolas lo antes posible.

Las hormigas, además de ser voraces devoradoras de hojas y semillas, influyen en la proliferación de pulgones.

¿EXISTE ALGÚN MODO DE CONTROLAR A LOS COMEDORES DE HOJAS?

Emplee un fumigador para llegar a las ramas más altas de los árboles atacados por una plaga.

¿Qué animal vegetariano podría resistirse a los suculentos manjares que tiene su jardín? Las tijeretas, las babosas, los caracoles, los gusanos, etc., son unos rápidos devoradores de hojas y tallos, cuya localización resulta difícil ya que, en general, actúan durante la noche y se ocultan hábilmente con la salida del sol. Existen varios métodos caseros para combatirlos, así como otros que ya han sido comercializados.

En el caso de las tijeretas y los gusanos, el control ha de llevarse a cabo mediante insecticidas de uso convencional, fumigando las plantas atacadas. Para deshacerse de las babosas y caracoles, hay trampas y repelentes que usted mismo puede preparar. Las cáscaras de limón y las trampas con cerveza atraen a estos animalitos, mientras que la ceniza los repele, al igual que el caldo de ortiga. Del mismo modo, puede adquirir en tiendas especializadas trampas para caracoles y babosas.

¿RESULTA DIFÍCIL ACABAR CON UNA PLAGA DE NEMÁTODOS?

Los nemátodos son unos pequeños gusanos cilíndricos que viven en las raíces y bulbos de las plantas a las que atacan, alimentándose de la savia de las mismas. Los síntomas externos que provocan en las plantas son, palidez en las hojas, manchas negras perfiladas, debilitamiento general y, finalmente, putrefacción de las hojas y tallos.

Los pulgones son la plaga más extendida en la jardinería de exterior. Las mariquitas realizan el control biológico al alimentarse de ellos.

La prueba inequívoca de su presencia, es la aparición de una especie de bultos o nudos de color amarillento en las raíces y manchas negras sobre los bulbos. Ante esta circunstancia, no dude en arrancar la planta completa, destruirla y, a ser posible, retirar la tierra que ha estado en contacto con las raíces y los bulbos. Impregne el suelo con caldo de ortigas y no vuelva a cultivar el mismo tipo de plantas al menos durante los dos años siguientes.

¿QUÉ TIPO DE INSECTO ES EL QUE FABRICA GALERÍAS EN EL INTERIOR DE LAS HOJAS?

Un recipiente lleno de agua y colocado en la base del tronco de un frutal, evitará la llegada de los parásitos procedentes del suelo.

Seguramente se trate de los zapadores de las hojas, pequeños organismos que destruyen el interior de las mismas, dejando a su paso una especie de galerías con aspecto laberíntico y que acaban por secarlas.

Para eliminarlos, en la mayoría de los casos no es necesaria la utilización de pesticidas, ya que con la simple retirada y destrucción de las hojas es suficiente. No obstante, si lo estima conveniente, utilice derris para fumigar, insecticida de origen natural que no persiste en el medio, como lo hacen otros insecticidas sistémicos.

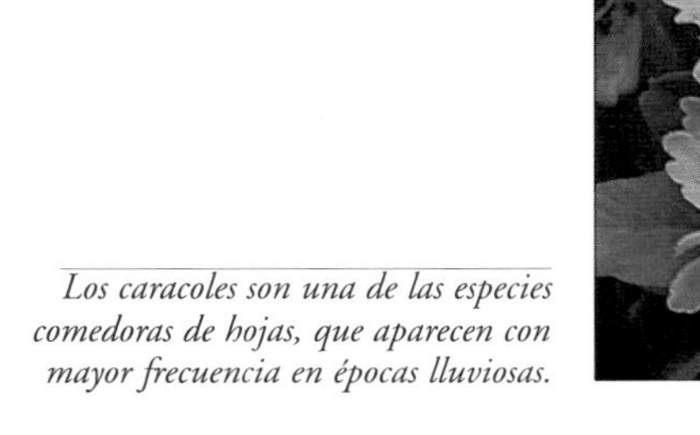

Los caracoles son una de las especies comedoras de hojas, que aparecen con mayor frecuencia en épocas lluviosas.

Enfermedades y deficiencias de cultivo

VENGO OBSERVANDO QUE ALGUNAS PLANTAS DAN HOJAS MÁS PEQUEÑAS DE LO NORMAL, CAYÉNDOSE. ¿QUÉ LES SUCEDE?

Si ha comprobado que la planta no tiene deficiencia en agua, y no es un problema de exceso o falta de radiación solar, pero sus hojas no tienen buen aspecto, o no ha brotado desde hace tiempo ninguna nueva y otras acaban cayendo con signos de debilidad, este es un síntoma inequívoco de falta de nutrientes.

El problema, casi seguro, viene motivado por el agotamiento del sustrato o la falta de abono. Añada fertilizantes granulados de rápida difusión y, a continuación, aporte estiércol o mantillo de buena calidad sobre la superficie del suelo para que la planta, pasado un tiempo, pueda volver a disfrutar de un aspecto saludable y lleno de vitalidad.

Una forma muy eficaz de ofrecer un reservorio de nutrientes a largo plazo, consiste en la adición de abono vegetal no del todo transformado; es decir, abono elaborado con los desperdicios del jardín y la cocina.

El oidio es una enfermedad que se extiende rápidamente sobre las hojas y yemas de los rosales.

¿POR QUÉ ALGUNAS PLANTAS DEL JARDÍN NO ME DAN FLORES?

El motivo depende de a qué planta se esté refiriendo ya que, por ejemplo, las bulbosas que no dan flores pueden estar afectadas por algún gusano comedor de raíces, una inadecuada fertilización del suelo o, más frecuentemente, por el mal estado de conservación que puedan haber sufrido los bulbos. Si los dejó secar al sol, los almacenó con humedad o han sido atacados por algún hongo durante el invierno, con toda probabilidad, no crecerán adecuadamente.

Una de las plantas que sufre con mayor frecuencia el marchitamiento de las hojas, debido a la insolación y falta de agua, es la hortensia.

En el caso de las plantas de temporada, la causa más normal radica en la falta de abono, con lo que la planta no tiene suficiente fuerza para producir flores, dándolas de pequeño tamaño, pocas, o suprimiendo incluso la floración.

¿ES EL MILDIU UNA ENFERMEDAD EXCLUSIVA DE LOS FRUTALES?

Esa capa de color blanquecino y aspecto algodonoso que es capaz de cubrir tallos y hojas por completo, puede atacar tanto a frutales, como a rosales, arbustos y plantas vivaces.

El sistema para reducir la enfermedad consiste, inevitablemente, en rociar con un pulverizador toda la planta, empleando productos fungicidas disueltos en agua. Es imprescindible podar las zonas más dañadas del ejemplar y después quemarlas. No olvide comprobar si las plantas próximas a la afectada también han sido atacadas por el hongo.

Si tuviese alguna duda, fumíguelas de inmediato.

¿QUÉ SISTEMA HAY PARA COMBATIR LA BOTRITIS?

Este problema es provocado por un exceso de humedad y una escasa aireación, y puede estar precedido de una gran acumulación de hojarasca a pie de mata, además de un ambiente continuamente húmedo. Suele atacar a los ejemplares más sensibles, como pueden ser la aralia del Japón, la alegría y la begonia, entre otras muchas plantas.

Ante la presencia de botritis, tendrá que reducir los riegos, facilitar la aireación de las partes afectadas (retirando restos de vegetales secos o tallos de la misma planta que no tengan funcionalidad), y rociar la planta y el entorno más cercano con algún producto fungicida. Cuando existan zonas muy dañadas y difíciles de recuperar, no dude en eliminarlas, podando vigorosamente la parte afectada y quemando los restos. De este modo, evitará que las esporas del hongo sean capaces de propagarse.

Las enfermedades producidas por hongos, han de tratarse con eficacia mediante el empleo de fungicidas y la quema de las partes dañadas.

¿QUÉ HA SUCEDIDO CUANDO LAS HOJAS APARECEN CON QUEMADURAS?

Las hojas de color pardo y con zonas abarquilladas, o los nuevos brotes y yemas secos y estropeados, son deterioros que sufre la planta por causas de distinta índole. El motivo más común es el frío. Cuando el jardín se ve sometido a una helada nocturna, especialmente en primavera, todas aquellas plantas que son más delicadas o que acaban de producir los primeros brotes, quedan afectadas.

Sin embargo, ésta no es la única causa que lo produce, ya que el uso de un abono a base de estiércol poco hecho, o empleado en la fertilización de plantas de interior o de sombra, como pueden ser las camelias o los rododendron, causará quemaduras en tallos y hojas, afectando considerablemente a todas aquellas pequeñas plantas que proceden de un semillero y no han alcanzado aún el estado adulto.

Del mismo modo, el sol también es capaz de producir quemaduras, especialmente sobre las hojas mojadas de las plantas de sombra, que no soportan esa situación.

¿ES POSIBLE DETECTAR UNA ENFERMEDAD PRODUCIDA POR VIRUS Y CURARLA?

Los virus son unos agentes patógenos que necesitan de un organismo vivo para reproducirse, resultando muy difíciles de identificar y tratar. En los vegetales, son los insectos chupadores de savia (principalmente los pulgones), los que los transmiten de una planta a otra, motivo indicativo de la importancia que tiene el control de las plagas.

No existen síntomas típicos de las enfermedades provocadas por virus, excepto en algunos casos bien documentados, pero como indicativos más característicos figuran la clorosis o pérdida de color verde, hojas con dibujos en forma de mosaico, falta de crecimiento y debilitamiento general de la planta. Como es lógico, algunos de estos síntomas también corresponden a otras deficiencias de la planta por lo que, para asegurarse del origen de la enfermedad, tendrá que sopesar varias posibilidades, y descubrir la causa por eliminación. Si la planta no tiene déficit de abono, agua o luz, y no ha encontrado ningún otro motivo causante del mal, es preferible que se deshaga del ejemplar antes de que pueda infectar a otras especies que convivan en su proximidad.

No todas las plantas que presentan color amarillo en sus hojas, sufren alguna enfermedad.

Indice alfabético de plantas